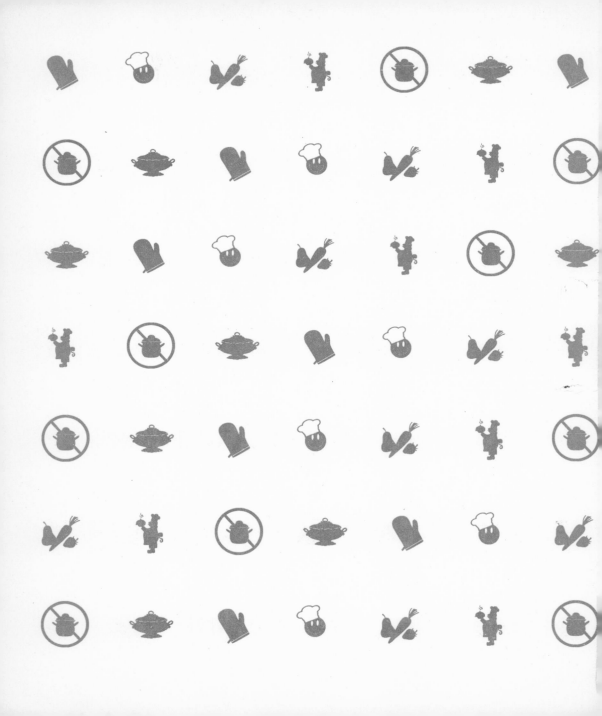

Le ricette di Casa Clerici

Questo libro è stato creato selezionando le ricette, opportunamente verificate, corrette e adattate, degli amici di Antonella, chef o semplici appassionati di cucina. Se anche voi avete ricette originali e sfiziose e volete inviarcele, ecco l'indirizzo al quale spedirle:
lericettedicasaclerici@rcs.it

© 2010 RCS Libri S.p.A., Milano
....
Art Director: Francesca Leoneschi TheWorldofDOT
Coordinamento editoriale: Editing Group di Oliviero Ciriaci - Roma
Fotografie: Giandomenico Frassi per tutte le ricette e 6, 39, 163, 207, 278; Roberto Guberti 84
....
Prima edizione: ottobre 2010
Seconda edizione: ottobre 2010
Terza edizione: ottobre 2010
Quarta edizione: novembre 2010
Quinta edizione: novembre 2010
Sesta edizione: novembre 2010
Settima edizione: novembre 2010
Ottava edizione: novembre 2010

ISBN 978-88-17-04380-9

Antonella Clerici

Le ricette di Casa Clerici

Rai Eri Rizzoli

Sommario

Introduzione 7

La mia scuola di cucina 9

Le mie ricette 19

  Antipasti.................................21

  Primi....................................61

  Secondi.................................133

  Piatti unici e contorni.................183

  Dolci...................................227

  Ricetta per Oliver......................271

Dietro le quinte 273

Ringraziamenti 279

Indice 281

Benvenuti nel mio libro!

Introduzione

Ci si può emozionare scrivendo un libro di cucina? Può succedere che leggendo e correggendo le bozze si debba nascondere la commozione, oltre all'acquolina in bocca? Ebbene, per "Le ricette di Casa Clerici" la risposta è sì, perché questo è un libro fatto di piatti e sentimenti, di sapori ed emozioni.

L'ho infatti creato accostando le ricette scovate nel vecchio quaderno di appunti della mia mamma a tutti i piatti che gli amici più cari mi hanno regalato e che hanno simpaticamente definito "A prova di Antonella..."!

Inizio quindi proponendovi una mia personalissima scuola di cucina, seguita poi da oltre 250 ricette, tra le quali scoprirete quelle più cariche di storia, sentimenti e affetto che ho voluto arricchire con parole e foto, così da renderle ancora più preziose.

Cosa posso dirvi ancora? Forse che questo è davvero il "mio" primo libro di cucina, che ho voluto fare come un quaderno di ricette, pensando che arriverà nelle vostre case. E che, posato lì, tra una padella per friggere e un tagliere di legno, tra un pelapatate e uno scolapasta, possa diventare uno dei compagni di avventura della vostra cucina.

E quando, come tutti i quaderni di ricette, comincerà ad avere macchie di sugo e marmellata, allora sarà diventato davvero un vostro inseparabile amico. E anche io, spero, con lui...

Antonella

La mia scuola di cucina

di cucina

da single a mamma

Avete presente un reality televisivo? Ecco, la mia personalissima scuola di cucina è stata proprio questo, perché l'ho frequentata in presa diretta con la vita.

Da quando sono arrivata a Roma, giovane e squattrinata, sono cambiate davvero tante cose; ricordo sere nelle quali tornavo nel mio monolocale in affitto, dopo provini molto spesso deludenti, e nel frigorifero avevo quattro cose, a volte anche scadute: con delle cene così, era davvero difficile far salire il morale!

Finiti i tempi di "carestia" ho finalmente iniziato a organizzare cene in compagnia. I primi tentativi erano veri esperimenti e i miei amici di allora delle gentili cavie, ma con il tempo alcuni miei piatti sono diventati un must, come il risotto alla milanese, che è tuttora il più richiesto dai miei ospiti.

E poi è arrivata "La Prova del Cuoco": quale migliore scuola avrei potuto desiderare? Come conduttrice di una trasmissione dove tutti i giorni i migliori chef italiani svelano i loro segreti ho imparato davvero tanto.

Credo di essere stata una brava allieva, tanto che ho fatto anche i "compiti delle vacanze", approfittando del periodo forzato di stop televisivo.

Ecco, nelle prossime pagine troverete la "mia scuola di cucina": gli ingredienti, gli strumenti e le tecniche da conoscere passo dopo passo per ogni fase della vita... evitando di dover sopravvivere con würstel, grissini e sottilette!

. Quando ero single .

Quando sono arrivata da sola a Roma, giovanissima, lavoravo come una matta e il portafoglio era sempre vuoto, quindi prepararmi dei pranzetti non era certo la mia maggiore preoccupazione. Tonno in scatola, surgelati, salumi in busta e la cena era servita! Ecco quindi i miei suggerimenti, sulla base della mia esperienza, per organizzare al meglio la cucina quando si è single:

QUALI INGREDIENTI: **Nella dispensa:** pasta secca, riso, crackers, tonno e legumi in scatola, pomodori pelati, olive in vasetto, olio extravergine, sale, peperoncino, pepe, vino bianco, senape, maionese, ketchup, cereali da colazione, biscotti, farina, zucchero, miele, latte e panna a lunga conservazione, caffè, uva passa. **Nel frigorifero:** salumi in busta, formaggi stagionati, yogurt, uova, würstel, parmigiano o grana grattugiato in busta, burro, patate. **Nel freezer:** verdure, trancetti di pesce, gamberetti, cipolla e aromi tritati, vaschette di gelato.

COSA TI SERVE: pentole e padelle, scolapasta, ciotole, cucchiai di legno, mestoli vari, carta da forno.

COSA DEVI SAPER FARE: salare l'acqua della pasta, controllare la cottura, scolare cibi in scatola dal loro liquido di conservazione, non far scadere ciò che hai in frigo e... seguire passo passo le ricette indicate nella pagina a fianco.

I DIECI PIATTI
DA SINGLE*

- Cestino di Patty......24
- Scrigno di prugne e pancetta......58
- Passatino di ceci con crostone di pane nero......59
- Pasta con crema di formaggi alle erbe......94
- Tonno e uova al verde......146
- Frico con patate e cipolle......184
- Insalata di riso, senape e würstel......196
- Dolcetti di avena......246
- Mandorle caramellate......255
- Gelato mantecato......257

* Cerca le ricette alla pagina indicata
e adatta la quantità di ingredienti

. Con i primi amici .

Gli amici di Roma piano piano hanno iniziato a far parte della mia vita di tutti i giorni e così, non potendo farmi cogliere impreparata, in cucina ho provato a essere più coraggiosa... e le cenette non venivano poi tanto male. Ecco quindi cosa aggiungere alla cucina per far bella figura con i primi invitati:

QUALI INGREDIENTI: **Nella dispensa:** taralli e pancarré, pasta all'uovo secca, funghi secchi, vongole in vasetto, pesto in vasetto, acciughe sott'olio, salsa di soia, marmellata, cacao, frutta secca. **Nel frigo:** frutta e verdure fresche, pasta sfoglia pronta, fettine di pollo o tacchino, salsiccia, besciamella pronta, pesce affumicato sottovuoto, formaggi confezionati, ravioli confezionati, insalata già pulita e in busta, concentrato di pomodoro e pasta d'acciughe, piadina confezionata. **Nel freezer:** misto per soffritto surgelato, carne tritata, trancetti di pesce e gamberetti.

COSA TI SERVE: forno, teglia, piastra per cottura ai ferri, stampo usa e getta per torte, frusta a mano, frullatore a immersione, pelapatate.

COSA DEVI SAPER FARE: fare un soffritto, tenere a bada un sugo, non spaventarti se gli invitati raddoppiano all'ultimo momento e... seguire passo passo le ricette indicate nella pagina a fianco.

I DIECI PIATTI
CON I PRIMI AMICI*

- Crocchette di lenticchie rosse......24
- Tortellini al salto......31
- Sfogliata taleggio e timo......40
- Carbonara di pesce spada affumi-
cato......74
- Riso con le noci......103
- Ricottine al forno con pomodo-
rini......193
- Wok di verdure......185
- Piada con squacquerone......218
- Albicocche alla piastra......239
- Tegliette di frutta......248

* Cerca le ricette alla pagina indicata
e adatta la quantità di ingredienti

. La vita di coppia .

Un nuovo cambiamento: la mia vita condivisa con un'altra persona. Mi sono attrezzata e pian piano ho imparato a stupire con poco: ricette semplici ma con un tocco in più e qualche trucchetto. Ma anche ingredienti un po' più ricercati e ricette più difficili, perché l'impegno dedicato alla cura di un amore non è mai abbastanza! Quindi, qualche passo in più in cucina:

QUALI INGREDIENTI: **Nella dispensa:** pangrattato, capperi sotto sale, legumi secchi, farro, orzo, curry, zafferano, dado di brodo vegetale, cioccolato. **Nel frigo:** yogurt, formaggi freschi e stagionati da banco, affettati freschi, sfoglia all'uovo per pasta al forno, sughi da banco, carne di manzo e vitello, bottarga, aromi freschi, aglio e cipolla. **Nel freezer:** frutti di mare, filetti di pesce, pane.

COSA TI SERVE: frusta elettrica, mixer, schiumarola, pentola o cestello per la cottura al vapore, stampo per crostata e stampo a cerniera, schiacciapatate, stampi in silicone.

COSA DEVI SAPER FARE: cuocere un arrosto, impastare la pasta frolla, comporre gli strati di una lasagna, scoprire in anticipo se la dolce metà odia i formaggi e... seguire passo passo le ricette indicate nella pagina a fianco.

I DIECI PIATTI
DELLA VITA DI COPPIA*

- Crudo di zucchine, gamberi rossi e melone......28
- Involtini freschi di peperoni......38
- Insalata d'autunno......43
- Pasta al pomodoro gratinata......72
- Filetti di merluzzo alla senape......159
- Scampi al sale......164
- Soufflé al formaggio......170
- Scarola riccia ripiena e confettura di agrumi......212
- Crema di cioccolato al peperoncino......228
- Gelato, mele e pepe......250

* Cerca le ricette alla pagina indicata e adatta la quantità di ingredienti

• Da mamma •

Poi è arrivata Maelle e tutto è cambiato. La routine è stata rivoluzionata da pappe per lei e pasti al volo per me ed Eddy. Una cosa è certa: l'organizzazione della giornata cambia, il tempo è meno, ma non bisogna farsi prendere dallo sconforto! E, quando si hanno ospiti, non rinunciare a piatti gustosi! Ecco con quali aggiustamenti:

QUALI INGREDIENTI: **Nella dispensa:** pane fresco, lievito vanigliato per dolci, colla di pesce, amido di mais, fecola di patate, noce moscata. **In cucina o sul balcone:** piantine di erbe aromatiche (basilico, rosmarino, salvia...). **Nel frigo:** insalata fresca da pulire, lievito di birra, costolette di vitello con l'osso, pollame e selvaggina, fegato, pesce fresco, latte fresco, burro chiarificato. **Nel freezer:** sughi e piatti preparati la domenica e pronti per la settimana.

COSA TI SERVE: pinze da cucina, macchinetta per tirare la pasta, passaverdure, stampi, tasca da pasticciere, rotella per tagliare i ravioli, spelucchino, rigalimoni, scavini per frutta o verdura.

COSA DEVI SAPER FARE: impastare e dar forma ai biscotti, pulire e cuocere il pesce, saper camuffare bene le verdure nei piatti dei bambini e... seguire passo passo le ricette indicate nella pagina a fianco.

I DIECI PIATTI
DA MAMMA*

- Involtini di belga gratinati......25
- Pâté di Natale......36
- Timballo di verdure......40
- Ragù di polpo......63
- Rondelle di crêpe alle erbe......85
- Polpettone di cavolfiore......194
- Pollo senza grassi......178
- Biscotti alla farina di cocco......256
- Torta facile di carote......230
- Muffin di banana e Nutella......268

* Cerca le ricette alla pagina indicata
e adatta la quantità di ingredienti

Le mie ricette

Legenda

🧑‍🍳 le ricette sciué sciué: facili e veloci

🫖 non serve cuocere, quindi niente fornelli

🍲 super classiche, da fare se si invita la suocera

🧤 basta infilare in forno e controllare la cottura

🥬 perfette quando si hanno ospiti vegetariani

🍴 per i "quasi chef" e le "super cuoche"

Nelle pagine che seguono troverete oltre 250 ricette. Alcune arrivano dal quaderno di mia mamma, altre (la maggior parte, a dire il vero) mi sono state regalate dagli amici del cuore appassionati di cucina e dagli chef che da anni mi seguono alla "Prova del Cuoco". Sono tutte così appetitose che ho voluto tenere persino quelle con le fave, un ingrediente che non amo per niente...!

Per orientarvi al meglio nella scelta di cosa cucinare, in base a tempo, capacità e acquolina in bocca, cercate i disegnini vicino al titolo di ogni ricetta. Nel box della pagina a fianco troverete tutte le spiegazioni per riconoscerli.

Vi ho proposto inoltre le ricette "speciali", arricchite con parole d'affetto e fotografie:

Ricette di casa mia: prese dal quaderno di mia mamma, che mia sorella Cristina ha scovato tempo fa rovistando in una vecchia credenza. Inutile dirvi che solo leggendole mi emoziono, e quindi le condivido con voi, come un dono d'affetto.

Ricette del cuore: le prescelte tra tutte quelle inviate dai miei amici sinceri, quelli che da tanto o poco tempo sono al mio fianco, e che mi regalano tanta felicità. Leggendo le loro dediche e le mie presentazioni capirete l'importanza che tutti loro hanno nella mia vita.

Ricette degli chef: dopo anni insieme in trasmissione, gli chef sono diventati dei veri amici. Alcune delle loro ricette sono per i "quasi cuochi", ma molte invece sono semplicissime e di grande effetto. Cercatele nelle pagine che seguono e troverete delle gustose sorprese!

Antipasti

🍄 Alici marinate con patate e prezzemolo

(di Martino Scarpa)

Ingredienti per 4 persone: 40 alici diliscate, 4 limoni, 4 patate, 30 g di prezzemolo tritato, olio extravergine, pepe, sale. *Tempo:* 30 minuti.

Spremi i limoni e mettine il succo in una ciotola insieme a un pizzico di sale e a un po' d'olio. Con la frusta emulsiona il tutto. Stendi le alici in una pirofila e cospargile con questa emulsione. Fai riposare nel frigorifero per circa 25 minuti. Nel frattempo sbuccia le patate, lavale, tagliale a cubetti di circa un centimetro di lato e mettile in una pentola con acqua fredda. Cuocile per 7-8 minuti dall'inizio dell'ebollizione, falle raffreddare (immergendole in acqua e cubetti di ghiaccio, se vuoi fare più in fretta) e condiscile con sale, pepe, olio e il prezzemolo. Prendi una tazza da cappuccino o da tè e rivestila internamente con le alici scolate dal limone e asciugate leggermente. Riempi il centro con le patate condite e, alla fine, capovolgi la tazza su un piatto. Condisci con un pizzico di pepe e un filo di olio.

Crostini con pâté di fegatini

(di Gianna)

Ingredienti per 4 persone: 250 g di fegatini di pollo, capperi sotto sale, 4 filetti d'acciuga sott'olio, vino bianco, cipolla, olio extravergine, pepe, sale. *Tempo:* 30 minuti.

In una pentola antiaderente fai rosolare olio e cipolla sbucciata e tagliata sottile. Quando questa diventa trasparente, aggiungi i fegatini puliti e tagliati a pezzi. Fai rosolare, bagna con il vino e lascia evaporare. Aggiungi sale e pepe a piacere. Cuoci aggiungendo, se occorre, qualche cucchiaio di acqua. Dopo circa 10 minuti unisci le acciughe e una manciatina di capperi lasciati a mollo in acqua per 15 minuti. Lascia intiepidire e metti nel mixer. Frulla sino a ottenere una crema densa. Metti il composto in una ciotola e coprilo bene con l'olio. Chiudi la ciotola con la pellicola e tienila in frigorifero fino a mezz'ora prima di servire. Servi il pâté abbondante su crostini di pane, ma spalmalo solo al momento di servire, altrimenti diventa scuro.

Carne cruda alla piemontese

(di Andrea Ribaldone)

Ingredienti per 4 persone: 400 g di coscia intera di manzo scelto (rosa o noce), 4 capperi, 3 acciughe, 40 ml di olio extravergine, sale, pepe, succo di mezzo limone, 200 g di insalate aromatiche miste. *Tempo*: 10 minuti.
Taglia la carne riducendola in cubetti, condisci con le acciughe diliscate e i capperi tritati, aggiungi il succo di limone, olio, sale e pepe. Ponila al centro del piatto e aggiungi a piacere insalate aromatiche. Ricorda che, se tagli la carne a coltello, le risparmi l'ossidazione dovuta al tritacarne e ne preservi il colore e il sapore.

🐑 Cestino di Patty

(di Patrizia)

Ingredienti per 4 persone: 100 g di grana grattugiato, 100 g di dadini di prosciutto cotto, 2 zucchine, olio extravergine, sale, pepe. *Tempo:* 20 minuti.

Fodera una teglia con la carta oleata e distribuisci dei mucchietti di grana, schiacciali con un cucchiaio per creare dei dischi e passa in forno preriscaldato a 150° finché non si scioglie il formaggio. Intanto prendi 4 bicchieri e poggiali sul piano di lavoro capovolti. Estrai dal forno il formaggio e adagia i dischi caldi sui bicchieri in modo che, raffreddandosi, assumano la forma di cestino. In una padella scalda un cucchiaio d'olio, fai saltare le zucchine lavate e tagliate a cubetti. Aggiungi il prosciutto e mescola bene in modo che tutto si insaporisca. Aggiusta di sale e pepe. Prendi i cestini di formaggio, versaci dentro le zucchine e il prosciutto e servi tiepido.

🥕 Crocchette di lenticchie rosse

(di Barbara)

Ingredienti per 4 persone: 2 tazze di lenticchie rosse, una cipolla, timo, farina di grano duro, olio, sale o 2 cucchiaini di salsa di soia. *Tempo:* 40 minuti.

Lava le lenticchie e falle cuocere con il timo in 5 tazze d'acqua in ebollizione per 15 minuti. Passane metà nel passaverdura, poi unisci l'altra metà, un cucchiaio di olio, la salsa di soia o il sale e la cipolla cruda tritata. Impasta, mettendo farina quanto basta per legare, e fanne delle crocchette ben pressate. Scalda una padella larga con un cucchiaio di olio e mettile a cuocere a fuoco basso, continuando la cottura fino a doratura.

Foglie di salvia pastellate

(di Maria e Giulio)

Ingredienti per 4-6 persone: 12 foglie grandi di salvia, 100 g di farina di riso, acqua, olio extravergine, pepe, sale. *Tempo:* 20 minuti.

Stempera la farina di riso in acqua molto fredda e ricava una pastella della consistenza di una crema. Passa dentro le foglie di salvia e friggile in olio abbondante. Scolale, aggiungi sale e pepe e servile calde.

Involtini di belga gratinati

(di Caterina)

Ingredienti per 4 persone: 2 cespi di insalata belga, 4 fette di prosciutto cotto, 4 fette di fontina, 4 cucchiai di besciamella, grana grattugiato. *Tempo:* 20 minuti.

Taglia in due ogni cespo nel senso della lunghezza e cuocila a vapore per 5 minuti. Disponi su ciascuna delle quattro parti una fetta di fontina e arrotolaci intorno una fetta di prosciutto. Disponi ogni involtino in una propria pirofila, unisci un cucchiaio di besciamella e cospargi di grana. Fai gratinare in forno a 240° per 10 minuti e servi.

Focaccia sfiziosa

Carismatica, coinvolgente, sa esserti vicina anche quando è lontana. Sia come amica sia in televisione, Antonella è come un ottimo antipasto: dopo non hai bisogno di altro!

Simone e Mita

to conosciuto Simone perché è il direttore vendite di una grande multinazionale di scarpe sportive. È un giovane uomo, sembra un ragazzo di New York che ha lasciato i rollerblade a casa. Simpatico, comunicativo, con un grande cuore e una grande sensibilità. Ci conosciamo da non molti anni, eppure il feeling è stato immediato non solo con lui ma anche con la sua splendida famiglia: la moglie Mita (la vera cuoca è lei!) e le piccole Camilla e Linda.

Tempo: 40 minuti + il tempo di lievitazione Numero di persone: 4 Ingredienti e quantità: 400 g di farina, 20 g di lievito di birra, 5 cucchiai di olio extravergine, pomodorini, olive nere o capperi o filetti di acciuga, sale.

Realizzazione: Setaccia la farina, disponila a fontana e versa 2 bicchieri di acqua tiepida, il lievito, 3 cucchiai di olio, 2 pizzichi di sale e mescola. Amalgama con le mani per circa 10 minuti. Trasferisci poi la pasta sulla spianatoia e lavorala con energia, ripiegandola su se stessa finché è morbida. Forma una palla e mettila in una ciotola, incidi una croce in superficie, copri con un telo e fai lievitare per un paio d'ore. Quando la pasta è raddoppiata di volume, lavorala ancora per fermare la lievitazione e farla sgonfiare. Ungi una teglia, stendici la pasta, spennellala di olio, coprila con pomodorini tagliati a metà o a fettine, olive snocciolate oppure capperi o filetti di acciuga. Spolverizza con sale e origano e condisci con olio, quindi cuoci in forno per 25 minuti a 180°.

🦋 Crudo di zucchine, gamberi rossi e melone

(di Paolo Zoppolatti)

Ingredienti per 4 persone: 2 zucchine medie, 12 code di gambero rosso pulite, una fetta di melone, 8 foglie di menta, mezzo cucchiaino di salsa di soia, olio extravergine, pepe, sale. Tempo: 15 minuti + il tempo di riposo. Con l'aiuto di un levatorsoli, estrai la parte centrale delle zucchine in modo da avere un foro più regolare possibile. Sbollentale in acqua salata per circa 10 minuti e raffreddale subito in acqua e ghiaccio. Dopo averle asciugate per bene, farciscile con le code di gambero tritate e condite con salsa di soia. Taglia il melone a cubetti, insaporisci con olio, sale, pepe e menta e lascia marinare per 10 minuti. Taglia le zucchine a fette sottili (per un taglio più preciso, raffreddale in frigorifero per 10 minuti) e servile disponendo al centro il melone.

 Hummus di ceci

(di Paula)

Ingredienti per 4 persone: una scatola di ceci precotti, uno spicchio di aglio, 2 cucchiai di tahina (pasta di sesamo), succo di mezzo limone, 2 cucchiai di olio extravergine, sale. Tempo: 15 minuti.

Sgocciola i ceci e tieni da parte l'acqua di conservazione. Sbuccia e togli l'anima dell'aglio. Versa i ceci nel recipiente del mixer, unisci gli altri ingredienti e frulla fino a ottenere una crema densa e spumosa. Se necessario aggiungi 1-2 cucchiai di acqua di conservazione. Trasferisci in una ciotola e regola di sale. Accompagna con verdure crude tagliate a bastoncino (sedano, carota, finocchio, ravanelli, cetriolini) oppure cracker e grissini.

Carpaccio di salmone e pomodori verdi

(di Martino Scarpa)

Ingredienti per 6 persone: un filetto di salmone fresco con pelle (1 kg circa), 6 pomodori verdi, 1,2 kg di sale fino, 800 g di zucchero, buccia tritata di un'arancia, 500 ml di aceto di vino bianco, 20 g di sale grosso, olio extravergine, pepe. *Tempo:* 20 minuti + il tempo di marinatura.

Mescola il sale fino, lo zucchero e la buccia di arancia tritata. Con questa miscela ricopri interamente il salmone e lascia riposare in frigorifero per circa 2 ore. Taglia i pomodori verdi a fette di circa mezzo centimetro di spessore. Fai bollire l'aceto con un litro di acqua e il sale grosso, sbollenta i pomodori per 30 secondi, scolali, asciugali e falli raffreddare su un panno. Non appena il salmone è pronto, lavalo sotto l'acqua corrente per togliere la miscela di sale, taglialo a fettine sottili e adagialo sopra alle fettine di pomodoro, che in precedenza avrai condito con pepe e olio. Il salmone così marinato, se ben coperto, può durare per circa una settimana in frigorifero.

Crêpe con prosciutto cotto e formaggio

(di Paula)

Ingredienti per 4 persone: 75 g di farina, 2 uova, 130 ml di latte, 100 g di prosciutto cotto, 100 g di groviera, 30 g di burro, sale. Tempo: 20 minuti + il tempo di riposo.

Riunisci nel mixer la farina con le uova, una presa di sale, il latte e 70 ml di acqua. In un pentolino sciogli il burro su fiamma bassissima, lascialo intiepidire, versalo nel mixer e frulla il tutto fino a ottenere una pastella omogenea. Versala in una ciotola e lasciala riposare coperta per 30 minuti. Riscalda un padellino antiaderente del diametro di 18 cm, versa un mestolino di pastella (non serve aggiungere grassi, perché sono già presenti nella pastella stessa), inclina il padellino in modo da ricoprirne completamente il fondo e cuoci la crêpe su fiamma dolce finché i bordi non si staccano e non iniziano a diventare dorati. Voltala con l'aiuto di una paletta, al centro disponi un po' di prosciutto e di formaggio ridotto in tocchetti, ripiega i bordi a piacere sul ripieno, prosegui la cottura per mezzo minuto e, dopo averla levata, tieni la crêpe in caldo mentre prepari le successive. Se invece vuoi preparare le tipiche crêpe salate francesi di grano saraceno, mescola 250 ml di latte con un cucchiaino di aceto bianco e lascia riposare per 10 minuti. Frulla poi nel mixer insieme a 125 g di farina di grano saraceno, 2 uova, un cucchiaino di olio e una presa di sale. Per la cottura procedi nel modo indicato sopra.

Pinzimonio di manzo
(di Cesare Marretti)

Ingredienti per 4 persone: una bistecca alla fiorentina, rosmarino fresco, olio extravergine, pepe, sale. *Tempo:* 10 minuti.

Cuoci al sangue (o a piacimento) una bistecca alla fiorentina su una piastra ben calda, tagliala poi a cubetti e, dopo averli infilzati su spiedini, "tocciali" in un pinzimonio precedentemente preparato con rosmarino, sale, pepe e olio.

Tortellini al salto
(di Patrizia)

Ingredienti per 4 persone: una confezione di tortellini al prosciutto già pronti, olio extravergine, pepe, sale. *Tempo:* 5 minuti.

In una padella scalda un filo d'olio e fai saltare i ravioli girandoli spesso con un cucchiaio di legno in modo che diventino dorati e croccanti. Passali poi in un piatto foderato con carta assorbente in modo che perdano un po' d'unto, aggiusta di sale e pepe macinato al momento e mescola bene perché si insaporiscano. Servili subito offrendoli con uno stuzzicadenti.

Sformatino di formaggio

(di Maurizio)

Ingredienti per 4 persone: 100 g di formaggio stagionato locale, 100 ml di panna fresca, 3 tuorli, 25 g di burro, 25 g di farina, 250 ml di latte. *Tempo:* 30 minuti.

Fai sciogliere il burro a fuoco lento in un tegame, quindi aggiungi lentamente la farina, il latte, il formaggio (che avrai precedentemente grattugiato) e da ultimo la panna. Togli il tegame dal fuoco e incorpora i tuorli, stemperando bene il composto. Suddividi in 4 stampini di alluminio per crème caramel e cuoci a bagnomaria per 20 minuti nel forno preriscaldato a 180°. Lascia intiepidire prima di servire.

"Royal" calda con ricotta e gamberone rosso

(di Natale Giunta)

Ingredienti per 4 persone: 2 uova, 4 tuorli, 20 g di formaggio di capra stagionato, 600 ml di panna, 100 g di ricotta fresca di capra, 4 gamberoni rossi, timo, prezzemolo, olio, sale. *Tempo:* 30 minuti + il tempo di marinatura.

Sbatti in una bastardella le uova intere insieme al formaggio grattugiato, ai tuorli e alla panna. Versa il composto in 4 tazze; aggiungi dei fiocchi di ricotta in superficie e cuoci a bagnomaria in forno per 15 minuti a 180°. Sguscia i gamberoni, tieni da parte le teste e fai marinare le code in olio, sale e timo per 30 minuti. Sco-

lale e cuocile per 2 minuti a fuoco vivace in una padella antiaderente. Cuoci in olio a bassa temperatura le teste e servile assieme alle code sulla "Royal" in tazza,
avendo cura di ricomporre il gamberone su ognuna. Guarnisci con prezzemolo.

Panna cotta al parmigiano
con insalatina di carciofi

(di Martino Scarpa)

Ingredienti per 6 persone: 500 ml di panna fresca, 150 g di
parmigiano stagionato, 8 g di colla di pesce, 10 carciofini violetti, un limone, aceto balsamico, olio extravergine, pepe, sale. *Tempo:* 20 minuti + il tempo di riposo.

Fai bollire la panna, leva dal fuoco e aggiungi il parmigiano grattugiato e la colla di pesce precedentemente ammollata in acqua fredda e strizzata. Passa il tutto con
il frullatore a immersione e aggiusta di sale. Versa quindi il contenuto in 4 stampini e lascialo riposare in frigorifero per 2-3 ore. Pulisci i carciofini, tagliali molto sottili e immergili in un contenitore con acqua e con
il succo del limone. Quando la panna cotta si sarà rappresa, scola i carciofi e condiscili con sale, pepe e olio.
Adagiali al centro del piatto, sforma la panna cotta e
mettila sopra i carciofini. Condisci il tutto con un filo
di aceto balsamico.

Dedico questa ricetta
ad Antonella perché,
oltre a essere una persona
speciale, è grazie al suo
gran cuore che seguo
il mio percorso
professionale e di vita
con grande gioia.

Mauro Improta

34

RICETTE DELLO CHEF

Insalata di seppie in agrodolce

Tempo: 20 minuti **Numero di persone:** 2 **Ingredienti e quantità:** 300 g di seppie fresche, un piccolo radicchio di Chioggia, 30 g di uva passa, 30 g di pinoli, 20 g di aceto balsamico, olio, un cucchiaino di zucchero, sale.

Realizzazione: Pulisci le seppie e sbollentale in acqua poco salata per 12 minuti (dopo aver diviso il corpo dalle alette e dalla testa, per evitare che diventino rosse). Sfoglia il radicchio, sciacqualo e taglialo a julienne. Fai raffreddare le seppie e tagliale sottili. Mescolale in un'insalatiera con il radicchio, l'uva passa e i pinoli e condisci il tutto con i restanti ingredienti.

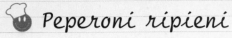 # Peperoni ripieni

(di Andrea Ribaldone)

Ingredienti per 4 persone: 2 peperoni, 150 g di tonno sott'olio, 3 filetti di acciuga sott'olio, 3 cetriolini all'agro, una patata bollita, 50 ml di olio extravergine.
Tempo: 25 minuti.

Cuoci i peperoni sulla fiamma del fornello (o sotto la brace) finché la pelle sia ben abbrustolita. Lavali e puliscili internamente dai semi e dai filamenti. Tagliali a falde e asciugali. A parte prepara una farcia frullando il tonno, le acciughe, i cetriolini e la patata bollita; emulsiona con l'olio. Riempi i peperoni, chiudili a forma di rotolo e servili freddi.

 # Pâté di Natale

(di Marina)

Ingredienti per 12 persone: 250 g di fegato di vitello, 200 g di burro, 2 cucchiai di cognac, mezzo bicchierino di Marsala, un quarto di cipolla, origano secco, sale.
Tempo: 30 minuti + il tempo di riposo.

Fai ammorbidire il burro a temperatura ambiente. Intanto pulisci il fegato, lavalo per togliere tutte le impurità, lascialo sotto un filo di acqua fredda corrente per un'ora, poi asciugalo e taglialo a pezzetti. Sbuccia la cipolla, tagliala a fettine sottili, sciogli 50 g di burro in una casseruola e unisci la cipolla, l'origano, il fegato a pezzetti e una presa di sale. Cuoci a fiamma vi-

vace per circa 15 minuti, poi versa il Marsala, fallo evaporare e leva dal fuoco. Trasferisci il composto in una
brocca, lascialo raffreddare e passalo con il frullatore
a immersione. Per rendere vellutato il pâté ottenuto, fallo passare attraverso un setaccio a maglia fine. Aggiungi il burro lavorato fino a renderlo cremoso e il cognac,
e amalgama gli ingredienti. Versa il pâté in un'apposita
terrina e lascia riposare in frigorifero per 6-7 ore. Tienilo a temperatura ambiente per almeno 40 minuti prima di
consumarlo e servilo con crostini di pane. Ricorda che
questo pâté si presta a essere congelato.

Insalata di aringa

(di Angelika e Matteo)

Ingredienti per 4 persone: 8 filetti di aringa in salamoia,
una mela, mezza cipolla, 250 g di yogurt bianco, 2 cucchiai
di senape, 2 cucchiai di aceto agrodolce, olio extravergine, pepe nero. Tempo: 30 minuti + il tempo di riposo.
Prepara la salsa mescolando in una ciotola lo yogurt con
la senape, l'aceto e un cucchiaio di olio extravergine.
Lava bene l'aringa, tagliala a pezzi, affetta la cipolla, sbuccia la mela e riducila a cubetti, quindi metti
tutto in una insalatiera. Versaci sopra la salsa, mescola per bene e aggiungi una macinata di pepe nero. Lascia
riposare in frigorifero per mezz'ora e servi con pane fresco o patate lesse. Lasciata in frigorifero per un giorno, diventa ancora più saporita!

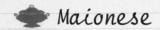 # Maionese

(di Marina)

Ingredienti per 4 persone: 2 tuorli, mezzo limone, 200 ml di olio di arachide, sale. *Tempo:* 30 minuti.

Riunisci i tuorli in una ciotola con una presa di sale e inizia a mescolare con una frusta. Unisci l'olio goccia a goccia, mescolando continuamente fino a che la maionese inizia ad addensarsi. Versa allora l'olio a filo continuando a mescolare. Appena la maionese è pronta, sbattila per qualche secondo con più forza e unisci un cucchiaio di succo di limone. Regola di sale, coprila con la pellicola per alimenti e conservala in frigorifero. Per un sapore più consistente, puoi usare metà olio di semi e metà olio extravergine e aromatizzare con una puntina di senape dolce.

 # Involtini freschi di peperoni

(di Annalisa)

Ingredienti per 4 persone: 4 peperoni di forma regolare, 2 robiole fresche, olio extravergine, erba cipollina fresca intera. *Tempo:* 20 minuti.

Arrostisci i peperoni, spellali cercando di non romperli e aprili in modo da ricavare un rettangolo da ciascuno. Disponi della robiola sopra ogni rettangolo, poi arrotola e lega l'involtino con l'erba cipollina. Servi con un filo di olio extravergine.

Con Oliver sul frigo della mia cucina

 # Timballo di verdure

(di Rosa)

Ingredienti per 4 persone: 8 pomodori a grappolo, 4 patate, 4 zucchine piccole, una cipolla bianca, 2 melanzane piccole, 8 foglie grandi di basilico, 200 g di pangrattato, 3 cucchiai di olio extravergine, 4 cucchiai di parmigiano grattugiato, sale. *Tempo:* 90 minuti.

Forma un impasto morbido con il pangrattato, l'olio, il sale e il parmigiano. Taglia le verdure a fette spesse un centimetro. In una teglia unta di olio alterna uno strato di pomodori, uno di patate e così via con le zucchine, le melanzane e la cipolla, fino a esaurimento delle verdure e terminando con uno strato di pomodori. Ogni strato va insaporito con l'impasto, il basilico tritato e un po' d'olio. Versa un bicchiere di acqua negli angoli, copri con foglio di alluminio e metti per un'ora nel forno preriscaldato a 200°. 10 minuti prima di servire, togli l'alluminio e fai asciugare.

 # Sfogliata taleggio e timo

(di Cristina)

Ingredienti per 4-6 persone: un disco di pasta sfoglia pronta, 300 g di taleggio, 50 g di parmigiano, un tuorlo, un rametto di timo, pepe, sale. *Tempo:* 35 minuti.

Adagia la pasta sfoglia in uno stampo da crostata o su una teglia foderata di carta da forno. Con una forchetta bucherella in più punti il fondo della pasta e con le dita forma un cordoncino tutt'intorno al bordo. Taglia il taleggio a pezzetti e distribuiscilo sulla pasta. Spolvera con il parmigiano e profuma con una mancinata di pepe e qualche fogliolina di timo. Per dare colore alla pasta, spennellala con il tuorlo sbattuto insieme a un pizzico di sale e poca acqua. Metti per circa 25 minuti nel forno preriscaldato a 180°, fino a che il formaggio si sia completamente fuso. Se aggiungi qualche fettina di speck appena prima di sfornare, la sfogliata diventa più sostanziosa.

Profiterole di broccoli

(di Annalisa)

Ingredienti per 4-6 persone: 350 g di broccolo romanesco, 70 g di guanciale affumicato, 20 piccoli bignè, 120 g di pecorino romano, 50-60 g di pistacchi, 150 ml di panna fresca, olio extravergine, aglio, pepe, sale. Tempo: 30 minuti.

Pulisci, taglia a pezzi e sbollenta per 10 minuti il broccolo, quindi saltalo in padella con aglio, guanciale tagliato a dadini, olio e, se piace, peperoncino. Aggiusta di sale e pepe. Frulla il tutto fino a ottenere una crema, versala in una tasca da pasticciere e farcisci i bignè. Prepara la salsa sciogliendo a fuoco basso in un pentolino il pecorino con la panna e, se serve, aggiungi un poco di latte. Aggiusta di pepe. Disponi i bignè ripieni a piramide, scaldali al forno e servili coperti con la salsa e guarniti con pistacchi sbriciolati.

Fragranti focaccette

(di Davide)

Ingredienti per 4 persone: 500 g di farina per pane (o farina 00), 10 g di lievito di birra fresco, 5 cucchiai di olio extravergine, 10 g di sale, zucchero. *Tempo:* 40 minuti + il tempo di lievitazione.

Sciogli il lievito in 100 ml di acqua tiepida mescolata con un pizzico di zucchero, aggiungi 100 g di farina e mescola fino a ottenere una pastella morbida. Copri la ciotola con la pellicola per alimenti e fai lievitare per 30 minuti. Disponi a fontana la farina rimasta, versa al centro 2 cucchiai di olio, 170 g di acqua e il panetto lievitato. Inizia a incorporare la farina alla parte liquida, mescolando con la punta delle dita. Aggiungi il sale e lavora gli ingredienti per almeno 10 minuti, fino a ottenere un impasto omogeneo e liscio. Forma una palla, trasferiscila in una ciotola con le pareti spennellate con poco olio, incidila sulla superficie con un taglio a croce, copri la ciotola con la pellicola e lascia lievitare l'impasto per un'ora in un luogo tiepido e lontano da correnti d'aria. Quindi dividi l'impasto in panetti da circa 30 g e stendili in modo da formare delle focaccette rotonde. Trasferiscile su una teglia da forno rivestita con carta oleata e lasciale lievitare coperte per mezz'ora. Al termine, premi sulla superficie in più punti con la punta delle dita, in modo da creare delle fossette. Sbatti in una ciotolina 3 cucchiai di acqua e 3 di olio con una presa di sale, spennella abbondantemente le focaccette e cuocile per circa 20 minuti nel forno preriscaldato a 200°. Puoi aromatizzare le focaccette disponendo sopra qualche fetta di pomodorino, oppure aggiungendo all'impasto olive verdi tagliate a pezzetti, cipollotti a fettine o erbe aromatiche tritate.

Insalata d'autunno

(di Paolo Zoppolatti)

Ingredienti per 4 persone: 200 g di valeriana (gallinella-soncino), 2 uova sode, una melagrana, 8 castagne precotte, 20 g di gherigli di noci, 20 g di pancetta affumicata, olio extravergine, pepe, sale. Tempo: 15 minuti.
Taglia a bastoncini sottili la pancetta e falla rosolare in padella finché non diventa croccante. Dividi le uova a metà e tagliale poi a spicchi. Apri la melagrana e con l'aiuto di un cucchiaino preleva i semi e mettili da parte; svolgi questa lavorazione sopra una ciotola, in modo da recuperare il succo. Con una forchetta emulsiona il succo aggiungendo nella ciotola olio, sale e pepe. Condisci la valeriana con l'emulsione, ripartiscila su 4 piatti e aggiungi sopra i grani di melagrana, le noci e le castagne spezzettate, la pancetta croccante e le uova a spicchi. Le uova puoi presentarle anche diversamente: taglia a strisce gli albumi e setaccia i tuorli per ottenere un effetto mimosa.

RICETTE DI CASA MIA

Pizzette con pasta di acciughe

Tempo: 10 minuti *Numero di persone:* 4 *Ingredienti e quantità:* 3 fette di pancarré, 3 pomodori pelati, 2 cucchiaini di pasta di acciughe, 16 capperi sott'aceto, un pizzico di origano secco, olio extravergine.

Realizzazione: Elimina la crosta dalle fette di pancarré, tagliale ognuna in 4 quadrati e trasferiscile sulla teglia del forno rivestita con carta oleata. Spezzetta i pomodori in una ciotola, unisci la pasta di acciughe, l'origano e un cucchiaio di olio e suddividi il composto sui quadratini di pane. Decora con i capperi e passali per 4-5 minuti nel forno preriscaldato a 180°. Accompagna con 2 fette di salame e un bicchiere di vino. In alternativa, tosta il pane da solo e servilo insieme a una ciotola contenente i pomodori spezzettati, l'origano, l'olio, i capperi e la pasta di acciughe. Ciascuno condirà il pane a proprio piacimento.

"Questo è il posto dove succedono le cose!"
Ecco la prima frase che diceva mia mamma ogni
volta che arrivavamo a Rapallo, località della
riviera ligure dove io e la mia famiglia passavamo
le vacanze estive. Non aveva tutti i torti: lì ho fatto
i primi passi, conosciuto la mia migliore amica,
dato il primo timido bacio di adolescente,
conosciuto il primo grande amore...
Ed è lì che ancora adesso mi portano i ricordi
delle pizzette che la mamma ci comprava per
merenda e che io e Cristina divoravamo sedute
sui gradini del bar della spiaggia.
Tornate a Legnano, forse per non permettere ai
sapori e ai profumi dell'estate di allontanarsi
troppo, la mamma aveva inventato questa
ricetta semplicissima, con tutti gli ingredienti
delle nostre adorate pizzette pomeridiane.
Anche nel freddo inverno, addentare una
di queste prelibatezze era un modo per far
riaffiorare i ricordi delle vacanze. E per
assaporare il gusto dell'estate che sarebbe di
lì a poco arrivata...

45

🍄 Giardiniera di verdure con baccalà al vapore

(di Andrea Ribaldone)

Ingredienti per 4 persone: 4 tranci di baccalà da 100 g ciascuno, 100 g di broccoli, 100 g di cavolfiore, una carota, un sedano, una cipolla rossa, 25 ml di aceto di vino bianco, 200 ml di vino bianco, 15 g di zucchero, olio extravergine, 25 ml di concentrato di pomodoro, sale. *Tempo:* 30 minuti.

Taglia a pezzi tutte le verdure e sbollentale in vino, aceto, zucchero e sale. Fai raffreddare e aggiungi il pomodoro con 2 cucchiai di olio. A parte, cuoci a vapore il baccalà per circa 4 minuti (il baccalà va sempre cotto brevemente per evitare di ridurlo a una poltiglia) in un cestello con poca acqua bollente e 2 cucchiai di olio. Servilo caldo sopra la giardiniera.

🍄 Crema di lenticchie con gamberetti e pancetta

(di Simone e Mita)

Ingredienti per 6 persone: 480 g di lenticchie in scatola, una cipolla, 80 g di pancetta arrotolata tagliata a fettine, 12 gamberetti lessati, 750 ml di brodo vegetale o di dado, olio extravergine, timo fresco, erba cipollina. *Tempo:* 20 minuti.

Sbuccia la cipolla e tritala finemente. Falla appassire per un paio di minuti in una pentola con un filo di olio, quindi unisci le lenticchie dopo averle sgocciolate e sciacquate. Copri con il brodo bollente e lascia bollire il tutto per circa 5 minuti, quindi frulla le lenticchie per ottenere la crema e suddividila in 6 ciotoline. Nel frattempo, fai rosolare la pancetta per 4-5 minuti in una padella antiaderente, senza aggiungere alcun condimento, finché non sarà croccante. Guarnisci ogni ciotolina con 2 gamberetti, pancetta, timo sminuzzato ed erba cipollina tagliuzzata.

Cassoncini di piada farciti

(di Paolo)

Ingredienti per 7-8 persone: per la piada: 500 g di farina 0, 50 g di strutto, 50 g di olio extravergine, sale, un pizzico di bicarbonato, acqua minerale frizzante; per farcire: erbette cotte e condite con olio extravergine, prosciutto cotto, carciofini, mozzarella. *Tempo:* 30 minuti. Fai una fontana con la farina e metti al centro tutti gli ingredienti della piada. Impasta, ricavane delle pagnottelle e stendile sottili, ottenendo dei dischi di circa 20 cm di diametro. Farcisci alcuni cassoncini con le erbette, altri con mozzarella, prosciutto e carciofini, avendo cura di mettere il ripieno solo su una metà del disco. L'altra la ripiegherai, sigillando con una forchetta i lembi sovrapposti. Scalda una piastra di ghisa o una padella antiaderente su fiamma dolce, disponi sopra 2-3 cassoni alla volta e cuoci 3-4 minuti per lato.

Minicake con olive, feta e timo

(di Lydia)

Ingredienti per 4 persone: 300 g di farina autolievitante, 100 g di burro, 2 uova, 150 g di feta, 50 g di olive, 130 ml di latte, timo. *Tempo: 20 minuti + il tempo di raffreddamento.*

Accendi il forno a 180°, fai fondere il burro e tieni da parte. In una terrina metti la farina con la feta tagliata a dadini e le olive nere snocciolate e tagliate in quattro. In una ciotola sbatti le uova con il latte, versa il composto nella terrina e amalgama. Aggiungi il burro fuso tiepido, mescola e aggiungi il timo. Imburra e infarina 4 stampi da plumcake e versa il composto fino a 2/3. Cuoci in forno per 30 minuti. Servi freddo.

 # Spuma di tonno

(di Gianna)

Ingredienti per 4 persone: una scatoletta media di tonno sott'olio, 70 g di burro, un cucchiaio di cognac. *Tempo: 15 minuti + il tempo di raffreddamento.*

In una scodella lavora a lungo il burro a temperatura ambiente sino a renderlo spumoso. Sgocciola il tonno, sminuzzalo nel mixer e amalgamalo bene con il burro, quindi aggiungi il cognac. Fodera una o più ciotoline con pellicola da cucina, versa la spuma e fai raffreddare in frigorifero. Rovescia la ciotolina su un piattino e servi con crostini caldi e in estate con fettine di pomodoro.

Crema di melanzane

(di Rossella)

Ingredienti per 4 persone: una melanzana, un cucchiaio di tahina (pasta di sesamo), mezzo spicchio d'aglio, un pizzico di cumino, succo di mezzo limone, 2 cucchiai di olio extravergine. Tempo: 40 minuti + il tempo di raffreddamento.
Accendi il forno 180°, lava la melanzana, togli il picciolo e tagliala a metà. Spennella i lati tagliati con un po' d'olio e disponi, faccia in giù, su una teglia rivestita di carta da forno. Cuoci per 30-35 minuti e, appena cotte, metti a raffreddare per 15 minuti in uno scolapasta in modo che perdano l'acqua di vegetazione. Estrai la polpa con un cucchiaio, metti nel mixer, aggiungi gli altri ingredienti e frulla brevemente. Servi con una piadina riscaldata, cracker o fette di pane tostato.

Fagottini di caprino e melanzane

(di Davide)

Ingredienti per 4 persone: 2 melanzane, 250 g di caprino fresco, 12 foglie di basilico, olio extravergine, sale.
Tempo: 15 minuti.
Lava le melanzane e tagliale a fette sottili. Grigliale su una piastra finché non diventano morbide. Lascia intiepidire su un piatto, sala e aggiungi il basilico. Avvolgi dei bocconi di caprino nelle fette e ferma con uno stuzzicadenti. Condisci con un filo di olio.

Involtini di bresaola e kren

(di Angelika e Matteo)

Ingredienti per 4 persone: 150 g di bresaola, 250 g di caprino (4 rotoli), 2 cucchiai di salsa di kren (rafano), un cucchiaio di olio extravergine, erba cipollina fresca, sale. *Tempo: 10 minuti.*

In una ciotola mescola il caprino con la salsa di kren e un cucchiaio di erba cipollina tagliata finemente. Aggiungi l'olio e regola di sale. Disponi un cucchiaio di questo composto su ogni fettina di bresaola e avvolgila a formare un involtino. Lega ciascun involtino con un filo di erba cipollina.

 ## Salame di manzo, formaggio Montasio e rucola

(di Paolo Zoppolatti)

Ingredienti per 4 persone: 100 g di fesa di manzo, 50 g di Montasio stagionato, 80 g di rucola, 20 g di pera kaiser, 2 fette di pane casareccio, olio extravergine, pepe, sale. *Tempo: 20 minuti + il tempo di raffreddamento.*

Trita finemente a coltello la fesa di manzo, insaporiscila con poco sale e pepe, aggiungi il formaggio tagliato a cubetti, impasta il tutto e dagli la forma di un salame. Avvolgilo nella pellicola, chiudi stretto e fai raffreddare in frigorifero. Taglia il pane a cubetti e tostalo in forno. Condisci la rucola con olio, sale e la pera affettata. Suddividi nei piatti la rucola condita e appoggiavi sopra sia il salame tagliato a fette spesse sia i cubetti di pane tostato. In alternativa alla pera puoi usare acini d'uva. Al posto del Montasio puoi utilizzare qualsiasi altro formaggio purché di stagionatura consistente, così da poterlo impastare agevolmente con la carne.

Fiori di zucca filanti

(di Paolo)

Ingredienti per 4-5 persone: 10 fiori di zucca, 50 g di farina, un uovo, 200 g di mozzarella, olio extravergine, vino bianco, sale. *Tempo:* 20 minuti.

Prepara una pastella con farina, uovo, un filo di olio, 2 cucchiai di vino, un pizzico di sale. Taglia la mozzarella a fettine e farcisci i fiori di zucca (lavati e privati del pistillo), poi immergili nella pastella e friggili nell'olio. Scolali e servili caldi.

Carpaccio di melone

(di Luca)

Ingredienti per 4 persone: un melone maturo, 20 g di rucola, 100 g di formaggio tipo primosale, 4 fette di prosciutto crudo, 4 cucchiai di olio extravergine, pepe, sale. *Tempo:* 20 minuti.

Elimina la buccia e i semi del melone, taglialo a fettine sottilissime insieme al primosale. Riduci il prosciutto a julienne, frulla la rucola con l'olio, sale e pepe nel mixer, unisci gli ingredienti e versa il condimento.

La freschezza dei prodotti italiani con un pizzico di sapore orientale, in una composizione piccante e colorata per esaltare la genuinità e la spontaneità di una persona tanto amata.

Renato Salvatori

RICETTE DELLO CHEF

Renato Salvatori, che io chiamo "Renatone", è il mio cuoco del cuore, senza nulla togliere agli altri... Con Maurino Improta, è stato il primo cuoco in onda dalla prima puntata. Forse perché il suo ristorante è vicino a Roma, sulla spiaggia di Maccarese, ma con la bella stagione è il mio sfogo culinario e di affetto preferito.

Tartare di branzino con olive verdi e zenzero

Tempo: 30 minuti Numero di persone: 4 Ingredienti e quantità: 800 g di branzino pulito, 100 g di olive verdi, 3 cm di radice di zenzero fresco, mezzo bicchiere di olio extravergine, 3 limoni, pepe, sale.

Realizzazione: Elimina testa, coda e pelle del pesce, poi incidi in profondità lungo il dorso, stacca i filetti ed elimina tutte le spine. Lava e asciuga i filetti con carta assorbente da cucina. Snocciola le olive e trita la polpa o riducila a filettini. Spremi uno dei limoni e filtrane il succo. Lava accuratamente gli altri e tagliane la scorza a julienne. Raschia la radice di zenzero con un coltello. Con un altro coltello, ben affilato, trita grossolanamente i filetti di branzino e trasferiscili in una ciotola. Unisci la polpa di olive, la scorza di limone, profuma con un cucchiaio di zenzero grattugiato e condisci con olio, sale e pepe. Lascia insaporire in luogo fresco per 10 minuti, quindi spruzza con il succo di limone e rimescola.

Insalatina estiva di gamberi

(di Martino Scarpa)

Ingredienti per 4 persone: 40 code di gamberi, 4 pomodo-ri ramati, 15 foglie di basilico, 200 ml di panna, 80 g di mozzarella di bufala, olio extravergine, vino bianco, pepe, sale. Tempo: 35 minuti.

Elimina il filo intestinale dalle code di gambero e falle bollire per 3-4 minuti in acqua, sale e un goccio di vino. Una volta raffreddate, privale del carapace. A parte, sbollenta i pomodori per pochi secondi, ricordando di fare su ciascuno una piccola incisione a croce, poi immergili subito in acqua fredda e sbucciali, privali dei semi e tagliali a cubetti. Con il frullatore a immersione frulla il basilico assieme all'olio e condisci i gamberi e i cubetti di pomodoro mischiati insieme, aggiungendo sale e pepe. Infine monta la panna, a parte frulla la mozzarella fino a ottenere una crema e incorporala alla panna con un pizzico di sale. Aiutandoti con due cucchiai, forma una "quenelle" e adagiala sopra l'insalatina di gamberi.

Timballino di melanzana con mozzarella di bufala

(di Natale Giunta)

Ingredienti per 4 persone: 300 g di melanzana violetta, 100 g di mozzarella di bufala, 50 g di pane bianco, 200 g di salsa di pomodoro pronta, 10 g di basilico, 50 ml di panna, olio, sale. Tempo: 35 minuti.

Taglia le melanzane a fette, immergile in acqua e sale e dopo un'ora scolale e asciugale per bene. Friggile in olio abbondante e molto caldo. Non appena sono cotte, usale per foderare 4 stampini monoporzione. Frulla nel mixer la mozzarella di bufala con il pane bianco e la panna. Con l'impasto ottenuto riempi gli stampini, chiudi il tutto con le melanzane rimaste e inforna per 10 minuti. Una volta cotti, capovolgi ogni stampino in un piatto e versavi sopra la salsa di pomodoro. Friggi le foglie di basilico in olio caldo, scolale e decora il piatto.

Ricotta aromatica croccante con mele caramellate

(di Marco Parizzi)

Ingredienti per 4 persone: 500 g di ricotta fresca di pecora o romana, 200 g di pasta kataifi (o capelli d'angelo sbollentati), aceto balsamico, una mela, erbe aromatiche, una noce di burro, un cucchiaino di miele, olio extravergine, sale. Tempo: 20 minuti.

Taglia la ricotta a fette spesse 3 cm. Da ogni fetta ricava un cilindro con un coppapasta. Avvolgi i cilindri nei fili di pasta e rosola in padella con un goccio di olio. Taglia la mela a fette sottili e falle rosolare in una padella con una noce di burro e un cucchiaino di miele. Condisci con le erbe aromatiche, sistema le mele aromatizzate al miele e spruzza con qualche goccio di aceto balsamico.

🧑‍🍳 🥕 Carpaccio di zucchine, pinoli e parmigiano

(di Caterina)

Ingredienti per 4 persone: 4 zucchine, 100 g di pinoli, parmigiano in scaglie, olio extravergine, un limone, pepe, sale. Tempo: 10 minuti.

Pulisci e affetta finemente le zucchine con l'aiuto di un pelapatate o di una mandolina. Cospargi con le scaglie di parmigiano, i pinoli precedentemente tostati e un'emulsione di succo di limone, olio, sale e pepe.

🐔 Insalata di seppie e spinaci

(di Renato Salvatori)

Ingredienti per 4 persone: 400 g di seppioline, 250 g di spinacini, un limone non trattato, un ciuffo di prezzemolo, mezzo bicchiere di olio extravergine, pepe, sale. Tempo: 50 minuti.

Pulisci le seppioline eliminando l'osso, la sacca del nero, gli occhietti, il "becco" e tirando via delicatamente i ciuffetti. Lava con cura, asciuga, poi taglia le seppie a striscioline e i ciuffetti a metà. Monda i germogli di spinaci, elimina i gambi, lavali in abbondante acqua, sgrondali e asciugali con un canovaccio delicatamente, senza schiacciarli. Pulisci e lava il prezzemolo e tritalo finemente. Spremi il limone e filtrane il succo. Scalda in una padella metà dell'olio, unisci le seppioline e i ciuffetti e cuoci a fuoco basso; dopo 10 minuti alza un po' la fiamma, insaporisci con sale e pepe e continua la cottura per altri 25 minuti. Poi unisci il prezzemolo tritato e il succo di limone, e fai ridurre il sugo in modo da ottenere una salsina densa. Togli dal fuoco, versa un cucchiaio di olio crudo e tieni in caldo. Con l'olio rimasto ungi una larga padella antiaderente, scaldala, unisci gli spinaci, scottali per qualche minuto e servi con le seppioline.

Timballino di zucchine con "brunoise" di verdure

(di Mauro Improta)

Ingredienti per 4 persone: 4 zucchine, una carota, un peperone giallo, una patata, 50 g di pangrattato, burro, maggiorana fresca, sale. Tempo: 40 minuti.

Taglia le zucchine ricavandone delle fette spesse circa mezzo centimetro, le altre verdure tagliale invece a dadini di 2 cm. Griglia le zucchine e tienile da parte. Sbollenta le altre verdure separatamente per circa 5 minuti, poi falle rinvenire a fuoco vivo tutte insieme in un tegame con una noce di burro, aggiusta di sale e tieni da parte. Imburra 4 stampini monoporzione e passali con il pangrattato, che deve rimanere attaccato alle pareti. Fodera gli stampini con le zucchine grigliate, riempi con le verdure e chiudi con le zucchine che avrai lasciato uscire dai bordi. Inforna per 12 minuti a 160° e servi profumando con un rametto di maggiorana fresca.

Scrigno di prugne e pancetta

(di Marina)

Ingredienti: 18 prugne secche snocciolate, 18 fette sottili di pancetta, olio extravergine. Tempo: 10 minuti.
Avvolgi ogni prugna con una fetta di pancetta e fissa con uno stuzzicadenti. In una padella scalda un cucchiaio d'olio e fai dorare le prugne. Servile calde.

 # Fondina di cardi, uovo e bagna cauda

(di Andrea Ribaldone)

Ingredienti per 4 persone: 200 g di cardi, 4 uova, 10 acciughe sotto sale, 5 spicchi di aglio, 150 ml di olio extravergine, una patata, mezza cipolla bianca, 20 ml di aceto di vino bianco, un limone. Tempo: 35 minuti.
Con un pelapatate pulisci i cardi dai filamenti. Falli cuocere con la cipolla e la patata affettata finemente, una parte dell'olio e poca acqua. Frulla e passa al colino. A parte, in acqua acidulata con il succo di limone, cuoci in camicia le uova (provoca un piccolo vortice nella pentola di acqua calda e rompile al centro del vortice, cuocendo un uovo alla volta per 3-4 minuti). Prepara la bagna cauda facendo sobbollire il resto dell'olio con aglio sbucciato e acciughe lasciate a mollo 10 minuti in acqua fredda, diliscate e sciacquate per 5 minuti (se cuoci l'aglio in latte bollente prima di unirlo, la bagna cauda sarà più leggera). Frulla la salsa. Servi la passata in una fondina con l'uovo al centro e gocce di bagna cauda.

Passatino di ceci
con crostone di pane nero

(di Natale Giunta)

Ingredienti per 4 persone: 250 g di ceci, 1 l di acqua, una costa di sedano, una carota, un cipollotto, finocchietto di montagna, olio extravergine, pepe, sale, 4 fette di pane nero. Tempo: 30 minuti + il tempo di ammollo. Metti i ceci a mollo in acqua fredda ventiquattr'ore prima della preparazione. Scolali, lavali e mettili sul fuoco in una casseruola con olio, cipollotto finemente affettato, sedano e carota mondati e tritati. Unisci parte del finocchietto e 2 litri di acqua fredda e cuoci i ceci su fiamma bassa per 2 ore. Una volta cotti, frullali con un mixer a immersione unendo sale, pepe macinato al momento e un paio di cucchiai d'olio a crudo. Spezzetta il finocchietto rimasto e cuocilo per 20 minuti in una padella con una presa di sale e 2-3 cucchiai di acqua. Versa il passato di ceci in 4 ciotole e unisci il finocchietto cotto. Accompagna con crostini caldi di pane nero e servi con un filo d'olio a crudo.

Primi

Ravioli di magro con salvia e mandorle

(di Patrizia)

Ingredienti per 4 persone: 300 g di farina, 3 uova, 300 g di ricotta di pecora, un mazzo di erbette, 100 g di parmigiano grattugiato, 40 g di burro, 8 foglie di salvia piccole, 20 g di mandorle a lamelle, noce moscata, pepe nero, sale. *Tempo:* 30 minuti.

Versa la farina a fontana sulla spianatoia, rompi al centro le uova, aggiungi una presa di sale e, aiutandoti prima con una forchetta e poi con le mani, incorpora la farina partendo dal centro verso i bordi. Lavora l'impasto per almeno 5 minuti, avvolgilo nella pellicola per alimenti e lascia riposare per 30 minuti. Nel frattempo, monda le erbette, tagliale a strisioline, lavale, sgrondale ma non asciugarle, e cuocile in una padella con la loro acqua e una presa di sale finché appassiscono. Scolale, strizzale e tritale finemente. Mettile in una ciotola insieme alla ricotta e a metà del parmigiano, unisci un pizzico di noce moscata grattugiata e una macinata di pepe e amalgama il tutto. Preleva un panetto dall'impasto, stendilo fino a ottenere una sfoglia abbastanza sottile (se usi la macchinetta per la pasta, arriva alla penultima tacca), con un cucchiaino disponi il ripieno a distanze regolari e ripiega sopra la pasta in modo da racchiuderlo. Taglia via l'eccedenza con una rotella liscia o dentata e fai aderire i 2 strati di pasta premendo con le

62

dita cercando di far uscire tutta l'aria. Ripeti il passaggio fino a esaurire gli ingredienti. Cuoci i ravioli in abbondante acqua salata. Sciogli il burro in una padella grande insieme alla salvia e alle mandorle a lamelle e, quando iniziano a dorarsi, unisci i ravioli scolati e un poco dell'acqua di cottura. Lascia insaporire e servi caldo con il parmigiano rimasto.

Pasta al ragù di polpo

(di Maria e Giulio)

Ingredienti per 4-6 persone: 1 kg di polpo, una carota, una cipolla, un gambo di sedano, 4 pomodori maturi, uno spicchio di aglio, un bicchiere di vino bianco, un bicchiere di vino rosso, olio, peperoncino, pepe, sale. Tempo: 2 ore.
Lava e pulisci per bene il polpo, poi asciugalo. Tritalo grossolanamente con il mixer o a mano (meglio a crudo che lessato). Prepara il soffritto classico (un trito di carota, cipolla, sedano e aglio, con un po' d'olio) e, quando è dorato, aggiungi il polpo. Lascialo cuocere finché non sarà evaporata quasi tutta l'acqua che rilascia. Aggiungi entrambi i vini, fai sfumare e unisci i pomodori con un po' di peperoncino e sale. Lascia cuocere a fuoco basso per circa 2 ore, controllando ogni tanto la consistenza ed eventualmente aggiungendo brodo vegetale o un altro bicchiere di vino rosso. A fine cottura aggiungi del pepe fresco. Servi con pasta fresca all'uovo o con spaghetti grossi.

Tagliatelle con scorze di arancia, scampi e ricotta

(di Natale Giunta)

Ingredienti per 4 persone: 300 g di tagliatelle secche, 200 g di scampi, 200 ml di brodo di scampi, un'arancia non trattata, una cipolla, 30 ml di vino bianco, 50 g di ricotta, erba cipollina, olio, pepe, sale. *Tempo:* 25 minuti.

Metti un cucchiaio di cipolla tritata in padella e fai rosolare con un po' di olio. Aggiungi gli scampi puliti e la buccia d'arancia e sfuma con il vino. Aggiungi poi il brodo di scampi e fai ridurre per qualche minuto. A parte cuoci la pasta solo per metà del tempo prescritto. Scolala e finisci la cottura in padella, mantecando con il condimento. A fuoco spento aggiungi la ricotta che avrai setacciato finemente. Decora il piatto con erba cipollina e con fette di arancia disidratate (basta spolverarle con zucchero a velo e infornarle per un'ora a 80°).

Risotto con asparagi e pesche

(di Maurizio)

Ingredienti per 4 persone: 320 g di riso Vialone nano, mezza cipolla, 2 pesche medie, 15 asparagi, un bicchiere di vino bianco, un cucchiaio di olio extravergine, un cucchiaio di burro, brodo vegetale, formaggio grana. *Tempo:* 30 minuti.

Porta a bollore il brodo vegetale. Affetta la mezza cipolla e falla rosolare nell'olio. In una casseruola, to-

sta il riso, bagnalo con il vino e fai evaporare, continua la cottura versando man mano il brodo. Pulisci e lava
gli asparagi, elimina la parte più dura, affettali a pezzetti di media grandezza lasciando integre le punte e aggiungili al risotto a metà cottura. Poco dopo sbuccia le
pesche e tagliale a cubetti. Aggiungi al riso le pesche
tagliate e prosegui la cottura. Al termine, fai mantecare con burro e grana.

Ricciarelle tortellinate

(di Massimo e Tiziana)

Ingredienti per 6 persone: 500 g di ricciarelle, 400 g di
manzo tritato, 100 g di maiale tritato, 250 g di ricotta,
250 g di spinaci cotti, prezzemolo, parmigiano grattugiato, burro, olio, carote, cipolla, sedano, vino bianco, passata di pomodoro. Tempo: 2 ore.

Prepara un ragù facendo rosolare nell'olio cipolla, sedano e carote sminuzzati e le carni tritate. Aggiungi vino
bianco e fai evaporare. Cuoci lentamente a fuoco bassissimo dopo aver aggiunto 4 cucchiai di passata di pomodoro. Trita gli spinaci e un mazzetto di prezzemolo e aggiungili alla ricotta, amalgamandoli in padella con il
burro a fuoco bassissimo. Nel frattempo cuoci la pasta
molto al dente, scolala e saltala in padella insieme alla
ricotta e agli spinaci. Aggiungi il ragù e cospargi il
tutto di parmigiano.

Risotto con asparagi
e taleggio

Ecco una ricetta che, mescolando
sapori intensi e ingredienti delicati,
ricordi ad Antonella la sua
forza ma anche la sua dolcezza,
e il profondo rapporto con la sua
terra e le sue origini.

Caterina

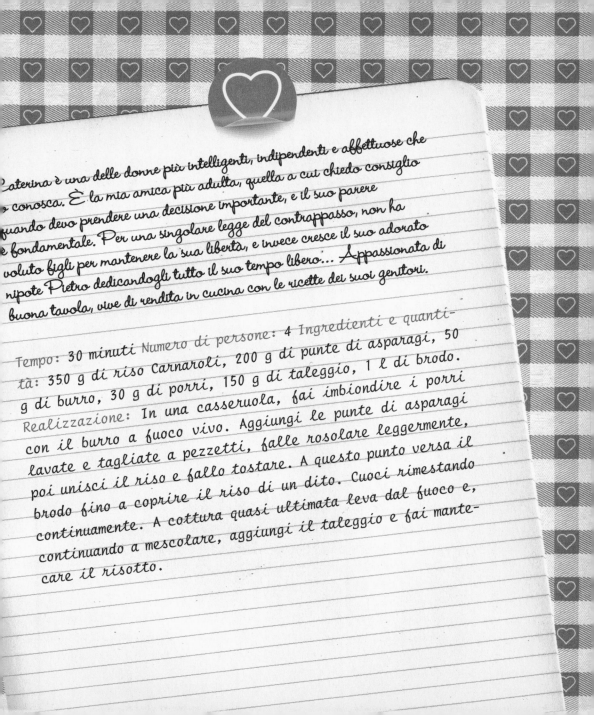

Caterina è una delle donne più intelligenti, indipendenti e affettuose che io conosca. È la mia amica più adulta, quella a cui chiedo consiglio quando devo prendere una decisione importante, e il suo parere è fondamentale. Per una singolare legge del contrappasso, non ha voluto figli per mantenere la sua libertà, e invece cresce il suo adorato nipote Pietro dedicandogli tutto il suo tempo libero... Appassionata di buona tavola, vive di rendita in cucina con le ricette dei suoi genitori.

Tempo: 30 minuti Numero di persone: 4 Ingredienti e quantità: 350 g di riso Carnaroli, 200 g di punte di asparagi, 50 g di burro, 30 g di porri, 150 g di taleggio, 1 l di brodo.
Realizzazione: In una casseruola, fai imbiondire i porri con il burro a fuoco vivo. Aggiungi le punte di asparagi lavate e tagliate a pezzetti, falle rosolare leggermente, poi unisci il riso e fallo tostare. A questo punto versa il brodo fino a coprire il riso di un dito. Cuoci rimestando continuamente. A cottura quasi ultimata leva dal fuoco e, continuando a mescolare, aggiungi il taleggio e fai mantecare il risotto.

Peperoni ripieni di spaghetti

(di Sal De Riso)

Ingredienti per 6 persone: 6 peperoni rossi di media grandezza, 200 g di spaghetti, 600 g di pomodori San Marzano, 50 g di cipolla bianca tritata, 30 g di olio extravergine, 6 foglie di basilico, 3 cucchiai di vino bianco secco, 50 g di parmigiano grattugiato, 25 g di burro, 50 g di olive nere di Gaeta, 50 g di capperi di Salina, uno spichio di aglio, pepe bianco macinato, sale; per il pesto: 30 g di pangrattato, 25 g di parmigiano grattugiato, 15 g di foglie di basilico, 15 g di prezzemolo, uno spicchio di aglio. Tempo: 45 minuti.

Fai arrostire su fiamma viva i peperoni, elimina la pelle quando sono ancora caldi, con un coltello aprili da una parte e asporta il torsolo e i semini. Stendi su un vassoio. Per preparare la salsa, fai soffriggere la cipolla nell'olio, aggiungi uno spicchio di aglio tritato e quando tutto sarà dorato unisci la metà delle foglie di basilico, il vino e i pomodori tagliati a pezzetti. Fai cuocere. In una padella sciogli il burro, aggiungi un pizzico di pepe bianco, il basilico rimasto sminuzzato con le mani, i capperi e le olive, e infine incorpora la salsa di pomodoro appena preparata. Intanto fai cuocere gli spaghetti in abbondante acqua salata, scolali quando sono ancora molto al dente e falli saltare nella padella con la salsa a fuoco forte. Quando saranno ben conditi spegni la fiamma, aggiungi il parmigiano, amalgama bene e poni al centro di ogni peperone un nido di spaghetti arrotolati con una forchetta. Ripartisci in ogni peperone la salsa, i capperi e le olive rimasti nella padella. Avvolgi i peperoni su loro stessi e sistemali su una pirofila leggermente unta con olio. Per il pesto, trita molto finemente l'aglio insieme al basilico e al prezzemolo, aggiungi il parmigiano e il pangrattato, mescola bene e cospargi la superficie dei peperoni con questo pesto e un filo di olio. Inforna a 250° per circa 20 minuti, finché si sarà formata la crosticina in superficie.

Crema di zucca tartufata

(di Caterina)

Ingredienti per 4 persone: 500 g di zucca gialla, una patata, 40 g di burro, 200 g di panna da cucina, olio tartufato, 2 cucchiai di parmigiano, pane raffermo, brodo, pepe, sale. *Tempo:* 35 minuti.

Sbuccia la patata e la zucca, tagliale a dadini e fai rosolare con la metà del burro. Unisci il brodo e cuoci a fuoco lento finché le verdure iniziano a disfarsi. Togli tutte le verdure e mettile nel frullatore insieme alla panna, al parmigiano e a un po' di brodo. Frulla fino a ottenere una crema piuttosto densa. Metti di nuovo sul fuoco per riscaldare e addensare. Aggiungi un filo di olio tartufato, regola di sale e pepe e servi con crostini ottenuti facendo saltare in padella, con il burro restante, del pane raffermo tagliato a cubetti.

I ravioli sono molto morbidi, delicati ed equilibrati nei sapori, ma al palato risultano pieni e goderecci. Il branzino e la bottarga danno un tocco di eleganza e rotondità all'insieme. Tutte queste peculiarità del piatto mi ricordano Antonella nella sua semplicità, delicatezza, morbidezza ed eleganza. E per questo motivo le dedico con tutto il cuore questa ricetta.

Martino Scarpa

Martino Scarpa è di Cavallino, in provincia di Venezia, dove ha il suo ristorante, aperto con grandi sacrifici e dedizione. Mi piace perché è un ragazzone buono e genuino. Sposato da poco dopo i miei pressing... i cuochi, come i calciatori, devono sposarsi giovani!

Ravioli di patate con branzino e bottarga

Tempo: 60 minuti Numero di persone: 4 Ingredienti e quantità: 300 g di farina, 3 patate lesse, 150 g di mascarpone, 30 g di parmigiano grattugiato, 5 g di erba cipollina tritata, 200 g di filetto di branzino, 40 g di bottarga di muggine, 3 uova, 40 g di burro, 100 g di brodo vegetale, olio extravergine, pepe, sale.

Realizzazione: Prepara la pasta con farina e uova, stendila sottile e coprila con un canovaccio umido. Lessa le patate con la buccia in acqua e sale, sbucciale e passale due volte allo schiacciapatate. Aggiungi i formaggi, l'erba cipollina, un pizzico di sale, pepe e un filo di olio (se il ripieno è troppo denso, aggiungi del latte freddo). Stendi un foglio di pasta, disponivi i mucchietti di ripieno e copri con un altro foglio, pennellando con acqua la pasta per farla aderire, quindi taglia i ravioli con uno stampino di 8-10 cm. Cuocili in acqua e sale per 4-5 minuti, scolali e passali in padella con il burro e un po' di brodo. Disponili sul piatto e sopra stendi fettine sottili di filetto di branzino. Finisci con un pizzico di pepe nero e un poco di bottarga grattugiata per dare sapidità e profumo.

71

Rigatoni salsiccia e zafferano

(di Gianna)

Ingredienti per 2 persone: 160 g di rigatoni, 200 g di salsiccia, una cipolla bianca o cipollotto, prezzemolo fresco, una bustina di zafferano, parmigiano grattugiato, olio extravergine, pepe nero, sale. *Tempo:* 15 minuti.

Mentre la pasta si cuoce, fai imbiondire in una grande padella antiaderente un pezzetto di cipolla bianca o un cipollotto finemente tritati insieme a un poco di olio e di acqua. Spella la salsiccia e riducila a pezzettini. Quando l'acqua è assorbita del tutto e la cipolla è diventata trasparente, aggiungi la salsiccia e fai cuocere. Unisci qualche cucchiaio di prezzemolo appena tritato e lo zafferano sciolto in un po' d'acqua. Versaci la pasta e mescola, aggiungendo pepe macinato, parmigiano in abbondanza e un filo di olio.

 # Pasta al pomodoro gratinata

(di Paula)

Ingredienti per 6 persone: 500 g di pasta corta (penne, fusilli, conchiglie, rigatoni...), 1,5 kg di pomodori ramati ben maturi, 3-4 cucchiai di olive nere dolci, 2 spicchi di aglio, pangrattato, un mazzetto di basilico, olio extravergine, sale. *Tempo:* 70 minuti.

Monda e leva il picciolo dai pomodori. Tagliali a metà e disponili in una grande teglia di terracotta dai bordi alti. Distribuisci sopra le olive nere snocciolate,

l'aglio sbucciato e tritato e le foglie di basilico sminuzzate. In ultimo cospargi con una manciata abbondante
di pangrattato e dai un bel giro d'olio. Inforna a 180°
per un'ora, fino a quando i pomodori si disfano per bene.
Poco prima di sfornare lessa la pasta in abbondante acqua salata. Scolalala, aggiungila alla teglia dei pomodori mescolando con cura e porta subito in tavola. Questa pasta riesce al meglio se usi pomodori estivi giunti
al massimo della maturazione.

Orzetto alla trentina

(di Barbara)

Ingredienti per 4 persone: una tazza di orzo perlato, una
cipolla media, 3 coste di sedano, 2 carote, una foglia di
cavolo nero o di verza, una tazza di fagioli cannellini
cotti, olio extravergine, parmigiano, uno spicchio di
aglio, sale. Tempo: 50 minuti.
Monda e trita a pezzi grossi cipolla, carote e sedano e
taglia il cavolo a listarelle. Fai stufare con poco olio,
quindi versa 1,5 l d'acqua e i fagioli e fai bollire. Aggiungi l'orzo e cuoci per altri 30 minuti. Quando sarà
quasi cotto, insaporisci con l'aglio sbucciato e schiacciato e regola di sale. Condisci nei piatti con un giro
d'olio e parmigiano. Ottimo bollente e un po' brodoso d'inverno, freddo e denso d'estate.

Carbonara di pesce spada affumicato

(di Martino Scarpa)

Ingredienti per 4 persone: 340 g di spaghetti di Gragnano, 240 g di pesce spada affumicato, 3 tuorli, 30 g di burro, 150 ml di brodo di pesce, 20 g di prezzemolo, pepe nero, 40 g di pecorino semistagionato grattugiato, sale.
Tempo: 25 minuti.

Taglia il pesce spada a cubetti regolari di circa mezzo centimetro. In una padella fai sciogliere il burro, aggiungi il pesce e fai rosolare bene, quindi sfuma con tre quarti del brodo. Una volta scolata la pasta bene al dente, versala nella padella assieme al pesce. Spadellala per un paio di minuti, levala dal fuoco e aggiungi un composto preparato mescolando assieme i tuorli, il pecorino, il prezzemolo tritato, il pepe nero e il resto del brodo. Spadella lontano dalla fiamma per un altro minuto, fino a che il composto con l'uovo diventa una salsa cremosa.

Insalata di mare al finocchietto selvatico e limone

(di Sal De Riso)

Ingredienti per 6 persone: 300 g di riso parboiled, 100 g di seppie pulite, 100 g di polipo pulito, 200 g di vongole veraci, 200 g di cozze, 200 g di cannolicchi, 200 g di tartufi di mare, 200 g di gamberi freschi, 40 g di finocchietto selvatico fresco, 50 g di cipolla bianca, un limone, un ciuffo di prezzemolo, olio extravergine, sale,

6 conchiglie di capasanta per servire. Tempo: 40 minuti. Fai cuocere il riso in acqua salata, scolalo al dente e stendilo su una teglia d'acciaio per farlo raffreddare. A parte, fai bollire per 15 minuti in acqua e sale la cipolla con le seppie e i polipi tagliati a listarelle. Apri i frutti di mare facendoli cuocere per circa 3 minuti in una pentola larga coperta. Dopo la cottura, elimina metà del guscio di ciascuno. Sbollenta i gamberi in acqua e sale per un minuto, scolali e lascia raffreddare. In un contenitore capiente miscela tutti gli ingredienti con il riso e condisci con il prezzemolo e il finocchietto tritati, un po' di buccia di limone grattugiata, il succo di un limone e olio. Aggiusta di sale e mescola bene. Servi in conchiglie di capasanta, che puoi decorare con una fettina di limone e prezzemolo. Conserva in frigorifero.

Pasta con crema di peperoni

(di Marina)

Ingredienti per 6 persone: 600 g di penne, 5 peperoni rossi e gialli, una confezione di panna da cucina, 3 cucchiai di olio extravergine, sale. Tempo: 30 minuti.
Monda i peperoni, tagliali a listarelle, salali e cuocili in una padella con l'olio. Una volta cotti, passali nel passaverdure in modo da separare la polpa dalla pelle. Amalgama la panna alla crema ottenuta e condiscici la pasta appena scolata.

Spaghetti Festival di Sanremo

Questi sono gli spaghetti che, dopo le serate del Festival, mangiavo con i miei collaboratori in un ristorantino sul porto di Sanremo. La variante del tonno me la sono fatta fare io e ne dedico la ricetta ad Antonella, con la quale abbiamo giocato, litigato, riso ma soprattutto sognato.

Giovanni

Giovanni è il mio costumista da sempre, l'autore dei miei look un po' eccentrici: dai grembiuli della "Prova del cuoco" agli strascichi infiniti e coloratissimi del "Treno dei desideri", fino al famosissimo abito rosa confetto di petali del mio primo Sanremo, che ci inventammo con lo stilista Gai Mattiolo. La sobrietà non è proprio il suo mondo, e neanche il mio: quando si tratta di spettacolo, adoro i lustrini e l'eccesso. Nella vita invece vesto solo di nero, jeans, molto classico-sportivo, e tute eleganti. Toscano, buongustaio, Giovanni ha fatto pace con il suo fisico da 1,90 e adesso mangia di tutto.

Tempo: 20 minuti Numero di persone: 6 Ingredienti e quanti-tà: 500 g di spaghetti, 500 g di pomodori, una cipolla dora-ta, un vasetto di pesto, olio extravergine, una confezione di tonno all'olio d'oliva, basilico fresco, pinoli, sale.

Realizzazione: Sminuzza il tonno grossolanamente. Trita la cipolla e mettila a soffriggere in un tegame. Quando è ben ro-solata, aggiungi il tonno e lascia amalgamare. Pulisci, pela, priva dei semi e taglia a pezzetti i pomodori, poi aggiungi-li nel tegame. Sala e fai cuocere per 15 minuti. Cuoci la pa-sta in abbondante acqua salata, scolala bene e versala bol-lente in un tegame, possibilmente bianco. Unisci il pesto, il sugo di pomodoro, foglie di basilico fresco in abbondanza e pinoli, mescola bene e servi subito.

Zuppa di broccoli e lenticchie

(di Mauro Improta)

Ingredienti per 4 persone: 250 g di lenticchie piccole tipo Castelluccio, 300 g di broccoli, una cipolla, una costa di sedano, una carota, 4 pomodori pelati, un peperoncino fresco, prezzemolo, 100 ml di olio extravergine, sale. *Tempo:* 30 minuti.

Taglia a bastoncini la carota, il sedano e la cipolla. Adagiali in un tegame basso e largo insieme all'olio e al peperoncino. Aggiungi le lenticchie e, a fuoco moderato, versa i pomodori pelati, schiacciandoli con la forchetta. Aggiusta di sale e allunga con acqua fredda fino a coprire. Una volta che avrà preso il bollore, aggiungi le cimette dei broccoli e continua la cottura a tegame coperto. Aggiungi un cucchiaio di prezzemolo tritato e servi insieme a crostini di pane profumati all'aglio.

 # Vellutata di ceci con code di gambero

(di Davide)

Ingredienti per 4 persone: 750 g di ceci in scatola al naturale, 12 gamberi, uno scalogno, 2 rametti di rosmarino, uno spicchio di aglio, una costa di sedano, una carota, 8 cucchiai di olio extravergine, peperoncino in polvere, sale. *Tempo:* 20 minuti.

Pulisci il sedano, lo scalogno e la carota e tritali grossolanamente. Sciacqua i gamberi, stacca le teste, elimina il carapace dalle code e, con uno stuzzicadenti, sfila il filo intestinale. Scalda 4 cucchiai di olio in una casseruola, unisci le verdure e le teste dei gamberi, rosola per 4-5 minuti schiacciando bene per far uscire tutto il succo, quindi bagna con un litro di acqua bollente. Sala, prosegui la cottura per 10 minuti e filtra il brodo. Versalo nuovamente nella casseruola, unisci i ceci, cuocili per 5-6 minuti e passali con il frullatore a immersione. Scalda il resto dell'olio in una padella, unisci le code di gambero con un pizzico di peperoncino e cuocile rapidamente fino a quando diventano opache. Servi suddividendo la crema di ceci nei piatti e disponendo al centro le code di gambero con il loro fondo di cottura.

Orecchiette del re

(di Simone e Mita)

Ingredienti per 4 persone: 500 g di orecchiette fresche, 2-3 salsicce fresche, 200 ml di panna da cucina, burro, curry, 2 cucchiaini di parmigiano grattugiato, pepe. *Tempo:* 30 minuti.

In una padella antiaderente scalda il burro, rosola le salsicce sbriciolate e aggiungi il parmigiano. Rimesta finché il parmigiano non sia sciolto, aggiungi un poco di curry e continua a girare. Infine unisci la panna. Nel frattempo cuoci le orecchiette in abbondante acqua salata, scolale, versale nella padella e falle saltare per qualche minuto, aggiungendo il pepe. Servi ben caldo.

Gli gnocchi di mia mamma

Dedico questa ricetta ad Antonella perché gli gnocchi di mia mamma sono un cult e perché spesso li abbiamo mangiati all'uscita dal liceo. E anche perché lei non li preparerà mai (il procedimento è un po' lungo per Anto), ma io sarò sempre ben felice di prepararli per lei.

Gianna

Abbiamo fatto le scuole insieme dalle elementari all'università, e ci siamo laureate in legge alla Statale di Milano. La differenza è che Gianna ha poi fatto l'avvocato ed è stata sempre una ragazza modello... una grande amica. Studiavamo insieme, d'estate sul terrazzo dei suoi genitori. Per tirarci su, quando eravamo stanche, io bevevo solo caffè, mentre lei, magra con le gambe bellissime, si poteva permettere uno zabaglione. Per questo l'ho sempre invidiata.

Tempo: 90 minuti Numero di persone: 4-6 Ingredienti e quantità: 1,2 kg di patate, 500 g di farina, 3 uova, burro, aglio, parmigiano grattugiato, latte, sale.

Realizzazione: Lessa le patate in acqua salata, sbucciale e passale nello schiacciapatate, facendole cadere in um ampio recipiente. Aggiungi 300 g di farina, le uova e un pizzico di sale. Impasta energicamente con le mani, aggiungi un bicchiere di latte e il resto della farina, fino a ottenere un impasto denso e un po' "colloso". Copri e lascia riposare per mezz'ora. Metti a bollire l'acqua in una pentola capiente, e quando bolle salala. Poi bagna un cucchiaio, riempilo di impasto a metà circa e tuffalo nell'acqua. Procedi così sino a esaurimento dell'impasto. Quando gli gnocchi vengono a galla, scolali. Condiscili con abbondante burro fuso, in cui avrai fritto 2-3 spicchi di aglio tagliati a fettine sottili (il burro deve diventare color nocciola ma non bruciare), e con abbondante parmigiano. Se l'aglio non piace, puoi condirli con sugo di pomodoro e pecorino.

Crema fredda di zucchine e yogurt

(di Luca)

Ingredienti per 4-6 persone: 1 kg di zucchine, una cipolla, una patata, 1 l di brodo vegetale, un vasetto di
yogurt bianco, cumino in polvere o erba cipollina fresca,
sale. Tempo: 30 minuti.

Pulisci e affetta grossolanamente tutte le verdure. Versale nella pentola in cui avrai portato a ebollizione il
brodo e cuoci finché non saranno tenere. Lascia raffreddare, quindi frulla il tutto con il frullatore a immersione. Regola di sale e fai raffreddare in frigorifero.
Al momento di servire aggiungi a ogni piatto una cuc-
chiaiata di yogurt mescolato con cumino o con gli steli
tritati dell'erba cipollina. Volendo puoi arricchire la
crema con 300 g di spinaci aggiunti 5 minuti prima di por-
tare a cottura le zucchine.

 # Bavette alle vongole

(di Daniela)

Ingredienti per 4 persone: 320 g di bavette o trenette,
100 g di vongole in barattolo al naturale, un mazzetto di
prezzemolo o timo, uno spicchio di aglio, mezzo bicchiere di vino bianco, 5 cucchiai di olio extravergine, pepe
nero. Tempo: 15 minuti.

Sbuccia l'aglio, schiaccialo, fallo soffriggere dolcemente in una padella con l'olio e poi eliminalo. Scola le
vongole dall'acqua di conservazione e versa quest'ultima

nella padella (facendo attenzione agli schizzi!). Unisci il vino bianco e lascia evaporare parzialmente. Cuoci la pasta in abbondante acqua salata, scolala molto al dente, versala nella padella, aggiungi le vongole e termina la cottura del tutto per 2-3 minuti. Cospargi con il prezzemolo tritato (o con qualche fogliolina di timo) e profuma con una macinata di pepe.

Penne integrali con zucca e pomodorini

(di Valentina)

Ingredienti per 4 persone: 320 g di penne integrali, 200 g di zucca già mondata, 200 g di pomodorini ciliegia, un rametto di rosmarino, 200 ml di brodo vegetale, 50 g di ricotta dura da grattugiare, uno scalogno, 5 cucchiai di olio extravergine, sale. Tempo: 40 minuti.

Sbuccia e trita finemente lo scalogno, riduci la zucca a dadini di circa 1 cm, monda i pomodorini e tagliali a metà. Scalda l'olio in una padella antiaderente, unisci lo scalogno e la zucca e lascia rosolare per 5 minuti. Versa il brodo e prosegui la cottura a pentola coperta per 10 minuti. Aggiungi il rosmarino tritato e i pomodorini, alza la fiamma e cuoci il sugo per altri 5 minuti. Nel frattempo cuoci la pasta in abbondante acqua salata in ebollizione, scolala lasciandola umida, versala nella padella con le verdure, mescola e cospargi con la ricotta grattugiata.

Eccomi al lavoro a Casa Clerici

Rondelle di crêpe alle erbe

(di Patrizia)

Ingredienti per 4 persone: 75 g di farina, 130 ml di latte, 2 uova, 30 g di burro, 500 g di erbette, 100 g di spinacini, 100 g di rucola, 250 g di mascarpone, 100 ml di panna fresca 50 g di grana grattugiato, un uovo, 40 g di gherigli di noce, un limone non trattato, noce moscata, 30 g di burro, sale. Tempo: 30 minuti + il tempo di riposo.

Frulla nel mixer la farina con il latte, 70 ml di acqua, le uova, un pizzico di noce moscata, il burro sciolto e il sale, poi fai riposare la pastella per un'ora. Nel frattempo lava la rucola, gli spinacini e le erbette e cuoci le erbe con poca acqua e una presa di sale per 3-4 minuti, fino a che risultano appassite. Scolale, raffreddale, strizzale e tritale, amalgamandovi il mascarpone, l'uovo, il parmigiano e una presa di sale. Scalda una padella per crêpe di 20 cm di diametro, versa un mestolino di pastella, rigira la padella in modo da distribuirla uniformemente e cuoci la crêpe fino a che i bordi appaiono dorati. Girala, cuocila per altri 30 secondi, falla scivolare su un piatto e ripeti finché non finisci la pastella. Spalma il composto di mascarpone ed erbe sulle crêpe, cospargile con i gherigli di noce tritati con la scorza di limone, arrotolale e tagliale a rondelle di 3-4 cm. Disponile in una pirofila imburrata cospargendo di grana, versa a filo la panna e passa il tutto in forno preriscaldato a 200° per 20 minuti.

🥕 Zuppa di scarola e riso

(di Daniela)

Ingredienti per 3-4 persone: un grosso cespo di scarola, 100 g di riso, una cipolla, brodo vegetale, 20 g di burro, grana grattugiato, sale. *Tempo:* 50 minuti.

Sfoglia il cespo di scarola e lava bene le foglie. Sgrondale e, senza asciugarle, tagliale a strisce. Sbuccia la cipolla, tritala e falla imbiondire con il burro caldo in una pentola dai bordi alti, meglio se di terracotta. Aggiungi l'insalata e mezza tazza di brodo caldo, copri e lascia cuocere per una ventina di minuti, finché la scarola non risulta ben appassita. A questo punto versa altre 3-4 tazze di brodo e, quando raggiunge il bollore, unisci il riso. Portalo a cottura, regola di sale e servi ben caldo con grana grattugiato.

Linguine con acciughe, briciole e profumo di limone

(di Elisabetta)

Ingredienti per 4 persone: 320 g di linguine, 25 g di filetti di acciuga sott'olio, 40 g di pangrattato, un limone non trattato, 7 cucchiai di olio extravergine. *Tempo:* 15 minuti.

Lava e asciuga il limone, grattugia metà della scorza e tienila da parte. Spremi il succo. Versa 3 cucchiai di olio in una padella antiaderente, unisci il pangrattato e, mescolando in continuazione, tostalo nel condimento fino a doratura. Versa in un'altra padella il resto dell'olio, unisci le acciughe, scioglile a fiamma bassissima mescolando in continuazione e aggiungi il succo di limone. Cuoci la pasta in abbondante acqua salata, scolala al dente, versala nella padella con le acciughe, mescola, cospargi con la scorza di limone e il pangrattato tostato e servi subito.

Scampi e pasta

(di Cesare Marretti)

Ingredienti per 4 persone: 12 scampi medi, 200 g di pasta lunga secca all'uovo, 8 pomodori Pachino, 4 steli di erba cipollina, un bicchiere di vino bianco, 2 spicchi di aglio, 4 bicchieri di acqua, olio extravergine, peperoncino macinato, sale. *Tempo:* 25 minuti.

Pulisci gli scampi togliendo la testa e sgusciando il corpo. Metti 8 teste in una pentola insieme a olio, aglio e un pizzico di peperoncino. Fai rosolare, aggiungi un poco di vino bianco, lascia evaporare, aggiungi 4 bicchieri di acqua e porta a ebollizione. Filtra con un colino, ottenendo il brodo di scampi. Fai bollire l'acqua per la pasta, sala e cuoci molto al dente. Metti la pasta nel brodo di scampi, aggiungi i pomodori tagliati e fai evaporare. Finisci aggiungendo gli scampi sgusciati e l'erba cipollina tagliuzzata e prosegui la cottura per un minuto. Servi formando dei gomitoli e ponendovi sopra una testa di scampo crudo.

Il riso, elemento della cucina lombarda,
evoca la terra d'origine di Antonella.
L'uso degli agrumi richiama la sua
solarità. Le spezie, distribuite a forma
di sorriso, danno un senso di sapienza,
di ricerca, di sapori pensati. Le verdure
nascoste sotto il riso sono nel segno
della sorpresa, della spontaneità
e dell'improvvisazione. Un piatto, dunque,
che con i suoi gusti e la sua presentazione
è fatto a immagine di Antonella:
solarità, sapienza, simpatia...

Paolo Zoppolatti

RICETTE DELLO CHEF

"Sol-riso"

Tempo: 30 minuti **Numero di persone:** 4 **Ingredienti e quantità:** 200 g di riso Vialone nano, 400 ml di brodo vegetale, 20 g di piselli, 20 g di peperone rosso, 20 g di zucca, 20 g di cipolla, 4 fiori di zucca, 10 g di farina 0, olio extravergine, 20 g di grana grattugiato, 30 g di burro, 12 stigmi di zafferano, 5 g di garam masala (misto di spezie indiano), un limone, un'arancia.

Realizzazione: In una casseruola tosta il riso con la cipolla tritata e un cucchiaio di olio, copri di brodo caldo e cuoci mescolando. Aggiungi brodo quando si asciuga e dopo 10 minuti unisci lo zafferano. Quando è al dente, fai mantecare con il burro, il grana e una grattugiata di scorza di limone e di arancia. In una padella calda fai saltare con un cucchiaio di olio i piselli, il peperone e la zucca a cubetti, bagna con succo di limone e arancia e mantieni croccanti. Pulisci i fiori di zucca, dividili in 6 strisce, infarinale, friggile in olio caldo e ponile sopra la carta assorbente. Su un piatto, metti al centro le verdure, coprile con il riso, disegna un sorriso con il garam masala e gli occhi con 2 triangolini di arancia; tutt'intorno al risotto disponi i fiori di zucca fritti come se fossero raggi di sole.

Carbonara di zucchine romanesche

(di Annalisa)

Ingredienti per 4 persone: 4-5 zucchine romanesche, 2 cipollotti, 3 uova, 400 g di spaghetti, 3 cucchiai di parmigiano grattugiato, olio extravergine, pepe, peperoncino, sale. *Tempo:* 25 minuti.

Fai soffriggere i cipollotti tagliati sottili in olio con un po' di peperoncino. Quando sono dorati, aggiungi le zucchine tagliate a rondelle o a dadini. Sbatti le uova con sale e pepe e aggiungi il parmigiano. Cuoci la pasta e scolala al dente. Versala nella padella con le zucchine e amalgama. Solo a questo punto togli dal fuoco e aggiungi il composto con le uova, mescolando in fretta e per bene. Servi caldo.

 # Lasagne agli asparagi

(di Rossella)

Ingredienti per 4 persone: 250 g di pasta fresca per lasagne, 2 mazzi di asparagi, 40 g di farina, 500 ml di latte, 50 g di grana grattugiato, 40 g di burro, noce moscata, sale. *Tempo:* 50 minuti.

Pulisci gli asparagi, taglia via la parte terminale fibrosa, lavali, cuocili in acqua salata per 6-7 minuti, scolali (tenendo da parte un mestolino della loro acqua) e lasciali raffreddare. Taglia le punte e mettile da parte. Frulla i gambi insieme al grana, a una presa di sale e a un pizzico di noce moscata grattugiata. Sciogli il burro in un pentolino, unisci la farina in una sola volta, tostala per un minuto nel condimento mescolando in continuazione con un cucchiaio di legno e, sempre girando, versa a filo il latte. Cuoci questa besciamella per 5-6 minuti su fiamma bassa, regola di sale, unisci il composto di asparagi e mescola. Trasferisci in una ciotola e copri a contatto con pellicola per alimenti. Scotta le sfoglie di pasta per mezzo minuto in acqua salata in ebollizione e stendile ad asciugare su fogli di carta da forno. Versa un cucchiaio di besciamella sul fondo di una pirofila di 18 x 22 cm, disponivi sopra uno strato di pasta e prosegui alternando strati di besciamella, punte di asparago e pasta. Passa in forno preriscaldato a 180° per circa 20 minuti e servi.

Farro in crema di zucca e patate

(di Barbara)

Ingredienti per 2 persone: 150 g di farro perlato, una fetta di zucca gialla, una patata, una cipolla, prezzemolo, pepe, olio, sale. Tempo: 50 minuti.

In una casseruola, a fuoco medio, fai appassire la cipolla in 2 cucchiai di olio, unisci la zucca e la patata tagliata a rondelle, fai insaporire e copri con acqua calda per mezz'ora circa. Nel frattempo, cuoci il farro come è suggerito sulla confezione. Quando le verdure saranno cotte, frullale, fanne una crema e aggiungila al farro. Cospargi di prezzemolo tritato, pepe e un filo di olio.

Tortiglioni con patate

Questa la dedico ad Antonella
perché è semplice, saporita
e sfiziosetta, insomma tanta roba!!!
Non c'è bisogno di mangiare altro...

Pippo

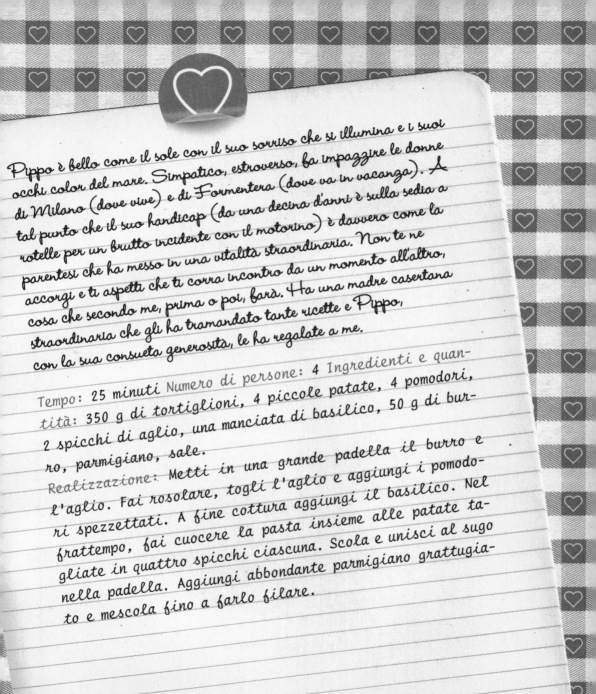

Pippo è bello come il sole con il suo sorriso che si illumina e i suoi occhi color del mare. Simpatico, estroverso, fa impazzire le donne di Milano (dove vive) e di Formentera (dove va in vacanza). A tal punto che il suo handicap (da una decina d'anni è sulla sedia a rotelle per un brutto incidente con il motorino) è davvero come la parentesi che ha messo in una vitalità straordinaria. Non te ne accorgi e ti aspetti che ti corra incontro da un momento all'altro, cosa che secondo me, prima o poi, farà. Ha una madre casertana straordinaria che gli ha tramandato tante ricette e Pippo, con la sua consueta generosità, le ha regalate a me.

Tempo: 25 minuti Numero di persone: 4 Ingredienti e quantità: 350 g di tortiglioni, 4 piccole patate, 4 pomodori, 2 spicchi di aglio, una manciata di basilico, 50 g di burro, parmigiano, sale.

Realizzazione: Metti in una grande padella il burro e l'aglio. Fai rosolare, togli l'aglio e aggiungi i pomodori spezzettati. A fine cottura aggiungi il basilico. Nel frattempo, fai cuocere la pasta insieme alle patate tagliate in quattro spicchi ciascuna. Scola e unisci al sugo nella padella. Aggiungi abbondante parmigiano grattugiato e mescola fino a farlo filare.

Pasta con crema di formaggi alle erbe

(di Patrizia)

Ingredienti per 4 persone: 320 g di fusilli, 200 g di formaggi misti, 200 ml di panna fresca, 4 foglie di salvia, 2 rametti di timo, sale. *Tempo:* 15 minuti + il tempo di riposo.

Elimina l'eventuale crosta dei formaggi e taglia a fettine quelli a pasta dura (il risultato migliore si ottiene mescolando formaggi saporiti con formaggi freschi e cremosi). Riunisci i formaggi in una casseruola, aggiungi la panna e la salvia tagliata a julienne e lascia riposare per un'ora in luogo fresco. Mentre cuoci la pasta in abbondante acqua salata, sciogli i formaggi a fiamma bassissima, mescolando con un cucchiaio di legno (dapprima inizieranno a filare, poi si trasformeranno in una crema omogenea). Scola la pasta al dente, condiscila con la crema, unisci le foglioline di timo e servi.

Farrotto con carciofi

(di Marina)

Ingredienti per 4 persone: 300 g di farro perlato, 2 carciofi, 30 g di burro, brodo, grana grattugiato, sale. *Tempo:* 30 minuti.

Pulisci i carciofi e tagliali a fettine sottili. Scalda il burro in un tegame, unisci i carciofi e falli rosolare per 5 minuti. Aggiungi il farro ben sciacquato, mescola e versa poco per volta il brodo caldo. A fine cottura (il farro perlato impiega circa 20 minuti) togli dal fuoco, regola di sale, unisci il grana e servi caldo.

Risotto del borgo

(di Maurizio)

Ingredienti per 4 persone: 280 g di riso Vialone nano, 2 carote medie, 3 zucchine piccole, una cipolla dorata, una costa di sedano, 250 g di funghi piopparelli, 2 carciofi, 100 g di burro, 150 g di parmigiano grattugiato, un cucchiaio di olio extravergine, un bicchiere di vino bianco, 1,5 litri di brodo, un cucchiaio di prezzemolo, 2 bustine di zafferano in pistilli. *Tempo:* 30 minuti.

Sciogli il parmigiano su fiamma bassa in un pentolino con 4-5 cucchiai di brodo e 20 g di burro e tieni la crema ottenuta in caldo. Dopo aver eliminato le foglie più dure, spine e barba, taglia a fettine sottili i cuori dei carciofi e a cubetti il resto delle verdure. Metti in un tegame il burro rimasto con la cipolla tritata finemente, fai rosolare e aggiungi le verdure a cubetti. Dopo un paio di minuti unisci i carciofi affettati, il prezzemolo e i funghi. Fai cuocere ancora per 2-3 minuti, quindi unisci il riso e fallo tostare. Versa il vino bianco e lascialo evaporare a fiamma bassa. Aggiungi man mano il brodo finché il risotto arriva a cottura. Alla fine aggiungi i pistilli di zafferano e amalgama il tutto. Aggiungi in ciascun piatto un cucchiaio di crema di parmigiano e servi.

La passione viene dalle cose semplici, le cose semplici vengono dalle grandi persone.
Grazie, Antonella!
Cesare Marretti

RICETTE DELLO CHEF

Cesare Marretti è il "mio" cuoco più folle: impossibile imbrigliarlo in uno schema. Dalla sua parlata toscana può uscire qualunque cosa e tenerlo a bada durante la diretta non è cosa facile. Bisogna prenderlo com'è, con la sua fantasia e il suo estro... dipinge, disegna piatti e bicchieri, è un vero artista.

Sughetto di pomodoro

Tempo: 10 minuti Ingredienti e quantità: pomodori rossi, basilico, olio extravergine, scorza di limone, peperoncino, sale.

Realizzazione: Frulla insieme (o strizza con le mani) i pomodori, il basilico, l'olio, il sale e un pizzico di peperoncino per dare un tocco di piccante. Condisci la pasta con questa passata e aggiungi una grattatina di scorza di limone. Nella sua semplicità questa ricetta è utile per riscoprire i profumi autentici della natura.

🦋 Gnocchi di ricotta con funghi e prezzemolo

(di Paolo Zoppolatti)

Ingredienti per 4 persone: 125 g di ricotta romana, 60 g di mascarpone, un uovo, 50 g di farina, 70 g di pangrattato, 100 g di funghi misti, uno spicchio di aglio, 100 ml di brodo vegetale, 20 gr di prezzemolo, olio extravergine, pepe, sale. *Tempo:* 30 minuti.

Lavora in una ciotola la ricotta e il mascarpone, aggiungi l'uovo e poi la farina e il pangrattato. Lascia riposare l'impasto per 10 minuti. Nel frattempo pulisci i funghi e saltali in padella con l'aglio e un poco di olio. Regola di sale e di pepe. Fai bollire il brodo, aggiungi il prezzemolo spezzettato, togli dal fuoco e dopo 5 minuti filtra. Con l'aiuto di due cucchiai, forma con l'impasto 3 gnocchi per ciascuna porzione e cucinali per 5 minuti in abbondante acqua salata. Scolali, mettili nelle fondine con i funghi e versaci sopra il ristretto di prezzemolo.

Lasagne con funghi e speck

(di Davide)

Ingredienti per 4 persone: 250 g di pasta all'uovo fresca per lasagne, 200 g di sugo fresco di funghi, 100 g di speck a dadini, un cucchiaio di misto per soffritto surgelato, 500 g di besciamella pronta, 20 g di burro, 50 g di parmigiano grattugiato, sale. *Tempo:* 40 minuti.

Sciogli il burro in una padella, aggiungi il misto per soffritto e lascialo stufare a fiamma bassa per circa 5 minuti. Unisci lo speck, fallo rosolare in maniera uniforme per 5 minuti e regola di sale. Scotta i fogli di pasta a 2-3 alla volta in acqua salata in ebollizione (se aggiungi 2 cucchiai di olio, i fogli non si attaccheranno tra loro), scolali e stendili ad asciugare su canovacci puliti o carta da forno. Distribuisci un cucchiaio di sugo allo speck sul fondo di una pirofila di 18 x 24 cm, stendivi sopra uno strato di sfoglie di pasta e prosegui alternando con strati di sugo di funghi, sugo allo speck, di besciamella e di parmigiano fino a esaurimento degli ingredienti. Passa la preparazione in forno preriscaldato a 180° per circa 30 minuti e lascia riposare per 5 minuti prima di servire.

Crema di patate e carote

(di Paolo)

Ingredienti per 4-5 persone: 4 patate di media grandezza, 4 carote, brodo vegetale, zenzero fresco, olio extravergine, sale. Tempo: 30 minuti.

Lessa le patate e le carote e frullale finemente, ricavando un purè. Aggiungi brodo vegetale quanto basta per ottenere una consistenza cremosa. Aggiusta di sale, versa nel piatto di portata e guarnisci ogni piatto con una grattugiata di zenzero fresco sbucciato e un filo di olio.

Risotto agli agrumi

Questa ricetta la dedico alla mia
amica Antonella perché è semplice
e solare come lei; e soprattutto
è sempre in linea con la sua forma.

Maurizio

Maurizio è il mio "cartomante", ma soprattutto un amico nei momenti critici. Non sempre ci azzecca, specialmente quando non ha voglia di fare i suoi antichi tarocchi, però se è in vena non sbaglia un colpo. Mi ha predetto per esempio che sarei diventata mamma, e che avrei avuto un grande successo al Festival di Sanremo, un pronostico in cui non credeva nessuno. Ma soprattutto mi ha detto che sarei tornata a condurre "La Prova del Cuoco"! Potere della tenacia o del destino... chissà! In cucina è onnivoro, ma non altrettanto ai fornelli. Tra una "carta" e l'altra mi ha regalato questa ricetta.

Tempo: 25 minuti Numero di persone: 4 Ingredienti e quantità: 320 g di riso Carnaroli, una cipolla, 2 arance, un pompelmo, 1,2 l di brodo vegetale, una noce di burro, grana grattugiato, olio extravergine, erba cipollina.

Realizzazione: Porta a ebollizione il brodo. Affetta la cipolla e falla rosolare nell'olio. Tostaci dentro il riso, bagnalo con il succo di mezza arancia e continua la cottura alternando il succo dell'altra metà e il brodo. Pela a vivo gli spicchi della seconda arancia e del pompelmo, tagliali a pezzettini e aggiungili a metà cottura, tenendone da parte una piccola quantità. Taglia a filetti un pezzo di buccia di arancia e falla sbollentare per un minuto. Quando il riso sarà cotto, fallo mantecare con burro e grana grattugiato. Completa con i filetti di buccia, i pezzetti di spicchi restanti e un po' di erba cipollina tagliuzzata.

Spaghetti con alici e pomodorini

(di Angelika e Matteo)

Ingredienti per 4 persone: 320 g di spaghetti, 300 g di alici fresche già pulite, 8 pomodorini Pachino, 2 spicchi di aglio, 4 cucchiai di olio extravergine, prezzemolo in abbondanza, peperoncino. *Tempo:* 25 minuti.

In una padella grande fai soffriggere brevemente, con olio già caldo, l'aglio in camicia e un po' di peperoncino. Sciacqua brevemente le alici, mettile nel soffritto e mescola per 2 minuti con una paletta di legno fino a renderle una salsa. Aggiungi i pomodorini lavati e tagliati a quarti e fai cuocere il tutto per un altro minuto. Cuoci a parte gli spaghetti, scolali molto al dente e versali nella padella con un po' della loro acqua. Mescola energicamente e a fuoco alto per pochi secondi, aggiungi un abbondante trito di prezzemolo e servi rapidamente.

 # Delizia di riso

(di Renato Salvatori)

Ingredienti per 4 persone: 150 g di riso Basmati, 150 g di riso rosa, un pompelmo rosa, un avocado, 8 gamberoni imperiali, 6 cucchiai di olio extravergine, pepe nero macinato, pepe rosa in grani, sale. *Tempo:* 30 minuti.

Sbuccia l'avocado, taglialo in due togliendo il nocciolo, poi schiaccia una metà con una forchetta e taglia l'altra a dadini. Dividi in due il pompelmo, spremine una metà e taglia a pezzetti la polpa dell'altra dopo averla sbucciata (togliendo con cura la parte bianca). Nel pompelmo spremuto unisci l'avocado schiacciato, una manciata di pepe nero, olio e sale. Poni tutto in frigorifero. Lessa i due risi in pentole di acqua salata separate, rispettando i tempi di ognuno. Nel frattempo, poni in una padella antiaderente con un filo di olio 4 gamberoni interi e 4 sgusciati e tagliati a pezzetti, e scottali leggermente. Scola i due risi, uniscili in una ciotola e condisci con il composto lasciato a macerare in frigorifero. Aggiungi l'avocado, i gamberoni e il pompelmo tagliati a pezzetti e mescola bene. Dividi il riso in 4 piatti di portata, dove avrai posto al centro il gamberone intero, e guarnisci con i grani di pepe rosa. Puoi anche aggiungere scaglie di mandorle appena tostate in forno.

Riso con le noci

(di Barbara)

Ingredienti per 4 persone: 300 g di riso, 100 g di noci, 2 uova, 50 g di fontina saporita, 2 cipolle, prezzemolo, olio, pangrattato. Tempo: 45 minuti.

Cuoci il riso in acqua salata, scolandolo molto al dente. Trita le noci e la fontina e taglia la cipolle a fette molto sottili, quindi fai saltare il tutto in poco olio. Unisci al composto il riso cotto e scolato e le uova sbattute e stendi il tutto in una teglia unta di olio e cosparsa di pangrattato. Metti in forno a 180° e cuoci per 30 minuti. Cospargi di prezzemolo tritato prima di servire.

Minestra lampo di couscous

(di Paula)

Ingredienti per 4-6 persone: una tazza di couscous pre-cotto, 7 tazze di brodo, 300 g di cime di broccoletti e ca-volfiore, 4 pomodori secchi sott'olio, 4 cipollotti, 50 g di formaggio di capra stagionato, peperoncino essiccato, 3 cucchiai di olio extravergine, sale. *Tempo:* 10 minuti + il tempo di riposo.

Monda e taglia a pezzettini i broccoletti e il cavolfio-re, trita i pomodori secchi e affetta finemente i cipol-lotti. Porta a ebollizione il brodo insaporito con 2 pre-se di peperoncino e l'olio quindi unisci i broccoletti, il cavolfiore e i cipollotti e cuoci 2 minuti. Leva dal fuo-co e versa il couscous, lascia riposare altri 2 minuti e infine aggiungi i pomodori e il formaggio sbriciolato.

Cannelloni di porro, formaggi e tartufo nero

(di Paolo Zoppolatti)

Ingredienti per 4 persone: un porro, 70 g di robiola, 100 g di ricotta, 50 g di gorgonzola con mascarpone, 60 g di bur-ro, 40 g di tartufo nero, 20 g di grana, 2 tuorli, pepe, sale. *Tempo:* 40 minuti.

Prepara la farcia mescolando in una ciotola la robiola, la ricotta (scolata e setacciata per renderla più fine), il gorgonzola, un poco di sale, pepe e metà del tartufo, che avrai pulito, tagliato a cubetti e cucinato in padella con una parte del burro. Taglia il porro a tranci lunghi 8 cm, sbollentalo per un minuto, raffreddalo in acqua e ghiaccio, asciugalo e incidilo in lunghezza per aprirlo e ottenere i fogli per fare i cannelloni. Stendi i fogli su un tagliere e farciscili con l'impasto aiutandoti con una sacca da pasticciere (bocchetta liscia da 1,5 cm). Forma i cannelloni e disponili in una teglia, spolvera di grana e inforna fino alla gratinatura. Servi nei piatti, aggiungendo la salsa che otterrai mescolando un cucchiaino di acqua al resto del burro e del tartufo.

Spaghetti al tonno

(di Luca)

Ingredienti per 4 persone: 320 g di spaghetti, 160 g di tonno sott'olio, 12 olive taggiasche o kalamata, un cucchiaio di capperi sotto sale, mezzo bicchiere di vino bianco secco, 4 cucchiai di olio extravergine, sale. *Tempo:* 15 minuti.

Metti un cucchiaio di capperi a mollo in acqua tiepida per una decina di minuti. Schiaccia le olive con la lama di un coltello, snocciolale e tritale grossolanamente. Scola il tonno dal suo olio e sbriciolalo. Scalda l'olio in una padella antiaderente, unisci i capperi scolati e asciugati, il tonno e le olive e lascia insaporire per 2 minuti. Versa il vino, lascialo evaporare a fiamma vivace e unisci la pasta scolata al dente. Mescola per mezzo minuto e servi caldo.

Questo piatto è stato pensato di getto quando Antonella mi ha chiesto una ricetta per il suo libro. Il risotto è in onore della sua Milano, i fiori di zucca sono solari come lei, i funghi sono irresistibili ma eleganti, e la burrata... serve una spiegazione?

Marco Parizzi

Marco Parizzi, parmigiano, lavora da sempre nel prestigioso ristorante di famiglia. È un bravo papà e, come molti miei cuochi decennali, l'ho conosciuto che si era fidanzato da poco e l'ho seguito nella sua vita personale e professionale.

RICETTE DELLO CHEF

Risotto ai porcini con fiori di zucca e burrata

Tempo: 30 minuti *Numero di persone:* 4 *Ingredienti e quantità:* 320 g di riso Carnaroli, 200 g di funghi porcini freschi, 100 g di burrata, mezza cipolla, 12 fiori di zucca, erbe aromatiche, brodo di carne, olio extravergine, sale. *Realizzazione:* Trita finemente la cipolla e soffriggila a lungo in padella a fiamma bassa con un filo di olio. Tosta il riso in un pentolino, aggiungi la cipolla e metà dei funghi puliti e tagliati a fettine. Bagna con il brodo e aggiungine via via che viene assorbito. A metà cottura unisci 4 fiori di zucca spezzettati. Dopo 16 minuti il riso è pronto e puoi metterlo a riposare. Taglia a cubetti i funghi restanti e falli rosolare in padella con un pizzico di sale. Trita le erbe aromatiche e condisci la burrata con un cucchiaio di olio. Stendi gli altri fiori su una placchetta e passali per 3 minuti in forno. Fai mantecare il risotto con la burrata, poi disponilo su ciascun piatto lasciando intravedere due fiori di zucca stesi aperti sotto. A completamento, metti un cucchiaio di funghi porcini salati.

Riso alla zucca e amaretti

(di Andrea Ribaldone)

Ingredienti per 4 persone: 250 g di riso Carnaroli, 200 g di zucca già pulita, 40 g di amaretti secchi ridotti in polvere, 30 g di parmigiano, 1 cipolla bianca, 600 ml di brodo di pollo, olio extravergine, pepe, sale. *Tempo:* 40 minuti.

In una casseruola poni il riso a tostare con poco olio e, quando sarà ben caldo, comincia a bagnarlo con il brodo bollente. A parte taglia la zucca a pezzetti e falla stufare con l'olio e la cipolla affettata finemente fino a quando non sarà morbida. Frulla a immersione fino a ottenere una crema fluida. A cottura ultimata del riso, mantecalo con la crema di zucca e con il parmigiano. Servi su un piatto e rifinisci con polvere di amaretti.

Conchiglie al forno

(di Valentina)

Ingredienti per 4 persone: 320 g di pasta formato conchiglie, 400 g di salsiccia fresca, 100 g di piselli surgelati, 400 g di funghi champignon, 500 ml di besciamella già pronta, grana grattugiato, pepe, sale. *Tempo:* 40 minuti.

Spella la salsiccia, sbriciolala e cuocila senza grassi in una padella. A parte fai stufare i funghi puliti e affettati e, quando saranno quasi pronti, aggiungi anche i piselli, proseguendo la cottura per 5 minuti a pentola coperta. In una grande terrina riunisci tutti gli ingredienti e incorpora la besciamella. Cuoci la pasta in abbondante acqua salata, versala ancora al dente nella terrina con un po' di acqua di cottura, in modo che la besciamella risulti abbastanza liquida. Mescola e trasferisci il tutto in una teglia. Spolverizza di grana e inforna a 200° per 5-10 minuti, fino a quando si forma una crosticina. Aspetta un paio di minuti prima di servire.

Spaghetti ai gamberi e pancetta

(di Natale Giunta)

Ingredienti per 4 persone: 300 g di spaghetti, 80 g di pancetta affumicata, 30 g di cipolla, un uovo, 100 ml di brodo di crostacei, 100 g di zucchinette, 400 g di code di gambero pulite, 50 g di burro chiarificato, 10 g di vino bianco, olio extravergine, pepe, sale. *Tempo:* 30 minuti.

Inizia subito a cuocere la pasta in abbondante acqua salata. Nel frattempo, in una padella fai rosolare a fuoco dolce per pochi minuti la pancetta con il burro chiarificato. In una ciotolina sbatti l'uovo, aggiungi il pepe e metti da parte. Soffriggi la cipolla e aggiungi le zucchinette tagliate a julienne. Sfuma poi i gamberi con il vino finché è evaporato, versa il brodo e cuoci per 2-3 minuti. Scola bene la pasta, versala in una terrina e aggiungi l'uovo sbattuto. Unisci le zucchine, la pancetta e mescola finché tutti gli ingredienti saranno ben amalgamati. Servi con i gamberi.

Zuppa di vino, speck e patate

(di Paolo Zoppolatti)

Ingredienti per 4 persone: 200 ml di brodo di carne, 2 scalogni, un bicchiere di vino bianco friulano o Traminer, mezzo bicchiere di panna fresca, 2 tuorli, 20 g di speck affettato, 2 fette di pane bianco, 5 g di semi di cumino, 60 g di patate, olio extravergine, pepe, sale. *Tempo:* 25 minuti.

Metti a stufare lo scalogno in una casseruola con il vino bianco e poco olio, aggiungi il brodo caldo e la panna mescolata con i tuorli, regola di sale e pepe e tieni in caldo. Tosta in padella con un poco di olio il pane a cubetti e i semi di cumino. In un'altra padella cucina le patate a cubetti con speck a striscioline e olio. Servi la zuppa nelle fondine mettendo al centro le patate allo speck e, all'ultimo momento, i crostini al cumino.

 # Gnocchi al pesto

(di Elisabetta)

Ingredienti per 4 persone: 1 kg di patate a pasta bianca, 200 g di farina, un mazzetto di basilico, 30 g di pinoli, 10 g di pecorino romano, 10 g di parmigiano, un piccolo spicchio di aglio, olio extravergine, sale fino, sale grosso. *Tempo:* 50 minuti.

Lava le patate, mettile in una pentola, coprile con abbondante acqua fredda e cuocile per circa 40 minuti dall'inizio dell'ebollizione. Lava e asciuga a una a una le

foglie di basilico e frullale con un pizzico di sale grosso, 20 g di pinoli, il parmigiano, il pecorino e l'aglio
sbucciato, tagliato a metà e privato dell'anima centrale. Mentre frulli, unisci a filo l'olio necessario per
ottenere una crema densa e omogenea. Trasferisci il pesto in una ciotola e coprilo con un filo di olio. Scola
le patate, pelale ancora bollenti, schiacciale subito con
uno schiacciapatate direttamente sopra la spianatoia. Unisci una presa di sale e metà abbondante della farina e impasta rapidamente fino a formare un impasto sodo e compatto (non lo lavorare troppo a lungo, altrimenti l'amido delle patate lo rende colloso). Tagliane un pezzetto,
fallo rotolare con le palme delle mani fino a ottenere un
cordoncino del diametro di 1,5 cm circa, e con un coltello ricavane gnocchi lunghi circa 2 cm, che infarinerai
leggermente. Ripeti fino a esaurimento dell'impasto. Eventualmente puoi passare gli gnocchi sull'apposita tavoletta rigata, sui rebbi di una forchetta o sul rovescio
di una grattugia, schiacciandoli leggermente in modo da
creare una cavità che aiuta a raccogliere meglio il sugo.
Porta a ebollizione abbondante acqua, unisci un cucchiaio di olio e una presa di sale grosso, aggiungi gli gnocchi e scolali con una schiumarola dopo circa un minuto da
quando vengono a galla. Trasferiscili direttamente nei
piatti e condiscili con il pesto preparato e i pinoli te-
nuti da parte.

RICETTE
DI CASA MIA

Riso giallo

Tempo: 15 minuti *Numero di persone:* 4 *Ingredienti e quantità:* 2 pugni a testa di riso Carnaroli, mezza cipolla bionda, 2 bustine di zafferano, 40 g di parmigiano grattugiato, 1 l di brodo vegetale o di carne, mezzo bicchiere di vino bianco, 30 g di burro.

Realizzazione: Sbuccia la cipolla e tritala. Fai sciogliere 20 g di burro in una casseruola larga e unisci la cipolla. Falla stufare per 5-6 minuti, alza un poco la fiamma e aggiungi il riso. Tostalo nel condimento per 3-4 minuti mescolando in continuazione, sfumalo con il vino e lascialo evaporare. Portalo a cottura unendo il brodo, 2 mestoli alla volta, e mescolando. A metà cottura unisci lo zafferano sciolto in un mestolo di brodo e mescola. Quando il risotto è cotto ma al dente, spegni il fuoco, aggiungi il parmigiano e il resto del burro, mescola con un cucchiaio e lascia riposare coperto per 2-3 minuti.

Il "riso giallo" era, oltre che uno dei miei piatti preferiti, anche il "confortino". Quando stavo male, per esempio dopo l'operazione di appendicite o quella alle tonsille, il sentore della mia guarigione era dato dal fatto che chiedevo il riso giallo. Era in quel momento che mia mamma capiva che stavo meglio! Il giallo doveva essere un vero giallo, non un color paglierino, perché già da piccola amavo i colori decisi e quindi, nel mio piatto preferito, le bustine di zafferano dovevano essere almeno due!

Crema di finocchi alla paprica

(di Barbara)

Ingredienti per 4 persone: 600 g di finocchi, 120 g di cipolla, un cuore di carciofo lessato, 80 g di orzo perlato, mezzo cucchiaino di paprica dolce, olio, brodo vegetale, sale. *Tempo:* 40 minuti.

Metti l'orzo a cuocere in acqua bollente salata. Trita la cipolla, affetta i finocchi e fai rosolare in poco olio con la paprica. Bagna con un mestolo di brodo bollente, sala, finisci di cuocere e frulla il tutto. Affetta il cuore di carciofo e disponilo in una fondina con l'orzo lessato. Versa la crema di finocchio e condisci con un giro di olio crudo. La stessa ricetta può essere preparata mettendo riso, farro o kamut al posto dell'orzo.

 # Minestra di razza e borragine

(di Renato Salvatori)

Ingredienti per 4 persone: 200 g di linguine, 400 g di razza privata di pelle e lische, 500 g di borragine, una cipolla, un rametto di rosmarino, un mazzetto di erba cipollina, 6 fette di pancarré, 6 cucchiai di olio extravergine, pepe, sale. *Tempo:* 30 minuti.

Sbuccia e affetta fine la cipolla. Lava e taglia a pezzi la razza. Pulisci, lava e spezzetta la borragine. Trita gli aghi di rosmarino. Tagliuzza l'erba cipollina. Spezzetta con le mani le linguine alla lunghezza di 2-3 cm e raccoglile in una ciotola. Taglia le fette di pancarré a dadini dopo aver eliminato la crosta. Fai rosolare la cipolla con due cucchiai di olio in una casseruola, unisci la razza, la borragine, il rosmarino, l'erba cipollina e una macinata di pepe. Fai cuocere per 3 minuti rigirando delicatamente, versa un litro di acqua, mescola, sala e porta a ebollizione. Prosegui la cottura per 10 minuti, quindi unisci le linguine, regola di sale e pepe e fai cuocere ancora per 10-12 minuti. Nel frattempo, versa l'olio rimasto in una padella capace e fai saltare i dadini di pane, rigirandoli spesso finché saranno ben dorati. Levali con una paletta per fritti, falli sgocciolare su carta da cucina e servili con la minestra.

Farfalle gialle con piselli

(di Maurizio)

Ingredienti per 4 persone: 400 g di farfalle, mezza cipolla, 300 g di piselli sgranati, 3 cucchiai di olio extravergine, 80 g di parmigiano, 50 g burro, una bustina di zafferano, prezzemolo, pepe, sale. *Tempo:* 25 minuti.

Trita finemente la cipolla, riscalda in una casseruola il burro e l'olio e unisci la cipolla. Quando la cipolla inizia a diventare trasparente, aggiungi i piselli. Mescola, regola di sale e pepe e cuoci coperto per 10 minuti. Sciogli lo zafferano in un poco di acqua della pasta e versalo sui piselli. Nel frattempo, lessa e scola la pasta al dente, condiscila con i piselli e il prezzemolo tritato e amalgama bene insieme al parmigiano.

Gnocchi di castagne in fonduta

(di Caterina)

Ingredienti per 4 persone: per gli gnocchi: 4 panini raffermi, 2 uova, 80 ml di latte, un cucchiaio e mezzo di farina di castagne, 100 g di castagne precotte, pangrattato, grana, sale; *per la fonduta:* avanzi di formaggi saporiti (taleggio, fontina, asiago, grana), panna. *Tempo:* 30 minuti.

Lascia a bagno nel latte il pane fatto a pezzetti, unisci le uova, la farina, le castagne spezzettate e il grana grattugiato, sala e rimesta il tutto in modo che il composto diventi il più omogeneo possibile. Se risultasse troppo bagnato, unisci del pangrattato. Prepara la fonduta facendo scogliere in un tegame i formaggi con la panna. Forma con il composto dei piccoli cilindri e tuffali in acqua bollente salata. Quando vengono a galla, scolali e condiscili con la fonduta.

Gnocchi verdi di miglio

(di Barbara)

Ingredienti per 2 persone: una tazza di miglio cotto, 2 manciate di ortiche o erbette o spinaci puliti, un uovo, 2 scalogni, noce moscata grattugiata, farina, parmigiano, olio extravergine, sale. *Tempo:* 30 minuti.

Stufa per qualche minuto le erbe mettendole senz'acqua in una pentola coperta. Aggiungi il miglio cotto, l'uovo sbattuto, un pizzico di noce moscata e lo scalogno precedentemente fatto saltare in padella con un filo di olio.

Amalgama il tutto e sala se necessario. Aggiungi 2 cucchiai di farina. Prendi il composto con un cucchiaio e forma con le mani dei piccoli gnocchi. Cuocili a vapore per 15 minuti. Condiscili con un filo di olio e aggiungi del parmigiano a piacere.

Tagliolini al basilico con gamberi e pomodorini

(di Martino Scarpa)

Ingredienti per 4 persone: 300 g di farina, 3 uova, 50 g di basilico, 24 gamberi interi, 300 g di pomodorini datterini, mezzo porro, carota, cipolla, sedano, vino bianco, olio extravergine, pepe, sale. Tempo: 40 minuti.

Prepara la classica pasta con la farina e le uova, ma frullando una parte della farina con il basilico. Per la salsa, priva i gamberi del carapace e della testa, che utilizzerai per fare un brodo assieme a sedano, carota, cipolla e sale, facendolo bollire con un litro d'acqua per circa 40 minuti. Trita finemente il porro e fallo rosolare in una padella con un filo di olio. Aggiungi i gamberi, scottali leggermente e sfumali con il vino. Alla fine aggiungi i pomodorini tagliati in quattro. Leva solo i gamberi dalla padella, altrimenti cuocerebbero troppo, e continua la cottura della salsa per circa 15 minuti aggiungendo il brodo di gamberi. Cuoci i tagliolini preparati con la pasta al basilico e spadellali assieme alla salsa e ai gamberi, ricordandoti di aggiustare di sale e pepe.

Passatelli golosi

Se l'amicizia tra me e Antonella fosse
un piatto, sarebbe questo. Pochi passaggi,
garanzia di successo e grande gusto.
Una semplicità che non lascia indifferenti.
Il sapore della mia Romagna,
un piatto "magico" in grado di far tornare
il buonumore.

Dimitri

118

Per sette anni siamo stati amici inseparabili, condividendo tutto: lavoro, vacanze, tempo libero. Poi i casi della vita ci hanno un po' allontanati, anche se Dimitri resta e resterà sempre il mio miglior amico, un punto di riferimento. È il miglior agente di viaggio che conosca, ed è stato un autore televisivo talentuoso e perspicace, attento alla sostanza e alla forma in un mondo dello spettacolo verso il quale ha sempre nutrito una sorta di amore/odio. Oggi è tornato a vivere nella sua amata Romagna, ma conserviamo tante cose in comune e un vissuto indimenticabile. Gli amici non si perdono mai.

Tempo: 20 minuti Numero di persone: 4 Ingredienti e quanti-tà: 200 g di pangrattato, 250 g di parmigiano grattugiato, 3 l di brodo, 100 g di taleggio, 50 g di grana, latte, 3 uova, noce moscata, pepe.

Realizzazione: Disponi a fontana il pangrattato e riempi il centro con le uova, aggiungi 200 g di parmigiano e una grat-tata di noce moscata. Amalgama con le mani fino a ottenere un impasto compatto; intanto porta a ebollizione il brodo. Fai riposare l'impasto almeno per 5 minuti, poi passalo nel-lo schiacciapatate a buchi larghi e ricava passatelli lun-ghi 8-10 cm. Falli cuocere nel brodo (meglio se di carne) fino a quando affiorano. Scola e tieni da parte. In un pen-tolino metti in poco latte il taleggio a pezzetti, fallo sciogliere a fuoco dolce, unisci il grana e mescola fino a ottenere una crema morbida. Stendila sul fondo del piatto, adagiaci sopra i passatelli e coprili con altra fonduta. Rifinisci con scaglie di grana e un po' di pepe.

Vellutata di piselli

(di Rossella)

Ingredienti per 4 persone: 600 g di piselli surgelati, un porro, 10 g di farina, 1 l di brodo vegetale, 20 g di burro, sale. Tempo: 30 minuti.

Pulisci il porro, elimina la radice e la parte verde delle foglie, lavalo, asciugalo e taglialo a fettine sottili. Sciogli il burro in una casseruola, unisci il porro e lascialo stufare dolcemente per 5-6 minuti. Aggiungi i piselli ancora surgelati e mescolali fino a completo scongelamento. Cospargili con la farina, mescola ancora, versa il brodo bollente e cuoci per 20 minuti. Leva la casseruola dal fuoco, frulla a immersione fino a ottenere una crema omogenea, regola di sale e servi. Se piace, puoi accompagnare con crostini di pane dorati in padella insieme a poco burro, oppure puoi mettere al centro della vellutata un cucchiaio di panna acida (che si ottiene unendo 100 ml di panna con qualche goccia di succo di limone e mescolando fino a che si addensa).

Spaghetti ai ricci di mare

(di Natale Giunta)

Ingredienti per 4 persone: 300 g di spaghetti, 500 g di ricci, uno spicchio di aglio, un ciuffetto di prezzemolo, un limone, olio extravergine, sale. Tempo: 25 minuti.

Pulisci i ricci privandoli della carcassa. Riscalda in una padella un poco di olio, aggiungi l'aglio tritato e spegni il fuoco. Aggiungi metà delle uova di riccio con la scorza di limone. Intanto cuoci la pasta in abbondante acqua salata e scolala al dente. Amalgama i ricci con la pasta e servi avvolgendo a gomitolo gli spaghetti con l'aiuto di un mestolo. Aggiungi sopra il resto delle uova di riccio crude e un poco di scorza di limone.

Gnocchi di mare con pomodoro e menta

(di Mauro Improta)

Ingredienti per 4 persone: 500 g di patate, 300 g di farina, 4 pomodori perini, 400 g di calamarelle e seppioline pulite, una grattugiata di pecorino, aglio, un rametto di menta fresca, olio extravergine, pepe nero, pepe bianco, sale. *Tempo:* 60 minuti.

Cuoci le patate, sbucciale, passale allo schiacciapatate e lavorale calde con la farina e il sale. Trita le calamarelle e le seppioline a coltello, raccogli in una terrina e insaporisci con poco sale e pepe. Ricava dalle patate dei filoni lunghi, appiattiscili con le mani e farcisci con il trito. Modella con le mani degli gnocchi e tienili da parte. Sbollenta i pomodori in acqua calda per un minuto, ferma la cottura in acqua e ghiaccio, spellali e frullali con la menta, il sale e il pecorino. Regola con il pepe bianco. Cuoci gli gnocchi in acqua salata per 3 minuti e servili adagiati sul crudo di pomodoro.

Il tortello mi ricorda la
rotondità di Anto quando
era in dolce attesa di Maelle;
la panzanella è composta
di elementi semplici che non
stancano mai, come Anto;
e come lei è il ragù, un classico
nel cuore di tutti; mentre
il tartufo è un tubero pregiato,
e chi è più pregiata di
Antonella?

Gilberto Rossi

RICETTE DELLO CHEF

Tortelli ricchi con ragù di coniglio

Tempo: 90 minuti + il tempo di riposo **Numero di persone:** 8
Ingredienti e quantità: 400 g di pane raffermo, 2 cipollotti freschi, 10 foglie di basilico, 100 g di pomodori, mezzo coniglio nostrano, 200 g di sedano, 100 g di carota, 200 g di cipolla rossa, 50 g di tartufo bianco, 500 g di farina, 5 uova, vino bianco, aceto di vino bianco, un rametto di rosmarino, brodo vegetale, olio extravergine, pepe, sale.
Realizzazione: Prepara la pasta fresca con la farina e le uova e falla riposare nella pellicola per mezz'ora. Bagna il pane in acqua con poco aceto, strizza bene e impasta con il pomodoro tagliato a pezzetti, il basilico e il cipollotto tritati. Farcisci i tortelli con l'impasto. Fai rosolare il coniglio con il rosmarino, sfuma con il vino, cuoci per circa 30 minuti a fuoco molto dolce, bagnando ogni tanto con il brodo. Al termine spolpalo e taglialo a dadini. Riduci a dadini anche sedano, carota e cipolla, falli appassire in padella con olio. Aggiungi la carne e finisci la cottura a fuoco basso per altri 45 minuti bagnando con altro brodo. Condisci con il ragù i tortelli lessati e, prima di servirli, affetta sopra il tartufo.

Riso alle verdure

(di Daniela)

Ingredienti per 4 persone: 300 g di riso Basmati o a chicchi lunghi, 3 zucchine, 2 carote, 3 cipollotti, 4 cucchiai di salsa di soia, 4-5 cucchiai di olio di arachide. *Tempo:* 30 minuti + il tempo di riposo.

Versa il riso in un colino, sciacqualo ripetutamente sotto l'acqua, versalo in una pentola e coprilo con acqua fredda fino a superarlo di un centimetro. Porta a ebollizione su fiamma vivace, poi abbassala al minimo, copri con un coperchio avvolto in un canovaccio e cuoci per 10 minuti. Spegni e lascia riposare per altri 10 minuti. Monda le verdure, lavale e taglia i cipollotti a fettine sottili, le zucchine e le carote a bastoncini. Riscalda l'olio in una padella, unisci le verdure e saltale a fiamma vivace per 4-5 minuti. Aggiungi il riso, mescola, versa la salsa di soia, lasciala assorbire e servi. Per un aroma più caratteristico, puoi aggiungere alle verdure un poco di zenzero fresco pelato e grattugiato.

 # Fusilli freddi al limone e pecorino siciliano

(di Marina)

Ingredienti per 4 persone: 320 g di fusilli, 12 olive di Gaeta, un limone non trattato, 120 g di pecorino siciliano pepato, origano secco, 5-6 cucchiai di olio extravergine, sale. *Tempo:* 25 minuti.

Snocciola le olive e taglia la polpa a filetti. Grattugia la scorza del limone e mescolala con le olive, una presa di sale, un pizzico di origano, l'olio e il pecorino sbriciolato. Pela al vivo il limone, preleva la polpa tra una membrana e l'altra e tagliala a cubetti. Uniscila agli ingredienti precedenti e mescola. Cuoci la pasta in abbondante acqua in ebollizione salata, scolala al dente, raffreddala sotto l'acqua corrente e condiscila con il sugo preparato.

Trofie con ragù di cernia, vongole e pomodorini

(di Mauro Improta)

Ingredienti per 4 persone: 320 g di trofie fresche, 10 pomodorini datterini, 200 g di polpa di cernia, 150 g di vongole, 100 g di olio extravergine, aglio, prezzemolo fresco. Tempo: 25 minuti.

Fai aprire le vongole in un tegame con una parte dell'olio e uno spicchio di aglio, poi sgusciale e filtrane il liquido di cottura con un colino a maglie molto strette oppure un canovaccio. Fai saltare i pomodorini in una padella insieme alla polpa di pesce tagliata a tocchetti, aggiungi l'acqua delle vongole, versaci dentro le trofie cotte al dente e falle mantecare. Aggiungi le vongole alla fine e profuma con prezzemolo fresco.

🐓 Tagliolini di pasta gialla
con tartufo nero

(di Andrea Ribaldone)

Ingredienti per 4 persone: 200 g di farina mista 0 e semola di grano duro, 8 tuorli, 50 g di burro, 200 ml di olio extravergine, un tartufo nero di circa 40 g, pepe, sale. *Tempo:* 25 minuti.

Impasta la farina con i tuorli per ottenere una sfoglia consistente e dal bel colore giallo. Tirala e spolverala di farina. Arrotola le sfoglie e tagliale a coltello o con la macchina tagliapasta per ottenere i classici tagliolini. Cuocili in abbondante acqua salata. Scolali e condiscili in padella insieme al burro fuso e all'olio. Servi caldo con una grattata (circa 10 g a persona) di tartufo nero o, per una serata speciale, bianco, più costoso ma più profumato.

Spaghetti vongole e bottarga

(di Patrizia)

Ingredienti per 4 persone: 320 g di spaghetti, 1 kg di vongole veraci, mezzo bicchiere di vino bianco, 20 g di bottarga di muggine, prezzemolo, uno spicchio di aglio, 6 cucchiai di olio extravergine, sale. *Tempo:* 25 minuti + il tempo di riposo delle vongole.

Metti le vongole a bagno in acqua salata per mezz'ora, scolale, battile leggermente sul piano di lavoro in modo che espellano l'eventuale sabbia contenuta nelle conchiglie, sciacquale e ripeti il passaggio altre due volte. Trasferiscile in una casseruola, unisci l'olio, l'aglio sbucciato e schiacciato, il vino bianco e i gambi di qualche rametto di prezzemolo, copri e cuoci a fiamma vivace per 3-4 minuti fino a che le vongole si aprono. Scolale con la schiumarola, scarta quelle chiuse e stacca dalle valve quelle aperte. Filtra il liquido di cottura con un colino a maglie fini per raccogliere l'eventuale sabbia e versalo in una padella. Cuoci gli spaghetti e scolali a due terzi della cottura. Versali nella padella con l'acqua delle vongole e termina la cottura a fiamma moderata, mescolando spesso. Cospargi con qualche foglia di prezzemolo finemente tritata, servi nei piatti e completa con una grattugiata a fori medi di bottarga spellata.

Spaghetti basic

(di Maurizio)

Ingredienti per 4 persone: 7-8 pomodori perini, 4 cucchiai di olio extravergine, 300 g di spaghetti, mezzo peperoncino essiccato, 10 foglie di basilico, 100 g di pecorino o di grana. *Tempo:* 20 minuti.

Mentre cuoci gli spaghetti in abbondante acqua salata, metti nel frullatore i pomodori (precedentemente pelati e privati dell'eccesso di acqua), il basilico, l'olio e il peperoncino. Frulla fino a ottenere un sugo cremoso. Scola la pasta e condisci con il sugo, spolvera con pecorino o grana e servi.

Pasta allo zummino

Una ricetta che sembra molto elaborata, ma in realtà è semplice e anche molto saporita. L'ideale per Antonella, che ama i cibi originali ed è una buona forchetta.

Maria e Giulia

Maria è una telegiornalista che da sempre e con grande bravura si occupa di motori. Una donna molto femminile alle prese con cilindri e pistoni. Ci siamo conosciute da ragazze al provino di "Test", il popolare programma di Emilio Fede, allora direttore del Tg1. Stiamo parlando di fine anni Ottanta... Lei fu presa, io no! Ma le nostre carriere sono comunque decollate, era forse il nostro destino. Giulio è il suo compagno matto e guascone, con un cognome impronunciabile per le sue origini svizzero-tedesche, con una grande famiglia e una tradizione di traslochi nel mondo. Ed è lui lo chef, che mette il cuore anche nella "mise en place". Famose per gioiosità e grande gusto sono le loro cene, curatissime dall'aperitivo al dolce.

Tempo: 15 minuti Numero di persone: 4 Ingredienti e quantità: 400 g di penne lisce, 250 g di olive nere di Grecia, 2-3 cucchiai di maionese, 200 g di prosciutto cotto, 400 g di pomodori pelati, carote, sedano, cipolla, prezzemolo, olio extravergine, sale.

Realizzazione: Snocciola le olive e taglia a dadini il prosciutto, mescola tutto con 2 cucchiai di maionese. Lascia riposare questo primo sugo e intanto prepara un soffritto di carota, sedano, cipolla e un pizzico di prezzemolo in cui verserai il pomodoro. Fai cuocere a fuoco lento, regola di sale e intanto lessa le penne. Quando sono a cottura, scola bene e condisci unendo i due sughi.

Bavette con melanzana al forno

(di Mauro Improta)

Ingredienti per 4 persone: 320 g di bavette, 2 melanzane, 30 g di capperi, 30 g di olive di Gaeta, 100 ml di olio extravergine, 6 foglie di basilico, 2 pomodori ramati, 50 g di grana, timo, aglio, sale. *Tempo:* 30 minuti.

Taglia le melanzane a metà nel senso della lunghezza, adagiale su una teglia e inforna a 180° per 15 minuti. In una padella fai rosolare l'aglio nell'olio e unisci i pomodori tagliati in quattro spicchi. Sala il giusto, profuma con timo fresco e insaporisci con i capperi e le olive. Cucina le bavette per 7 minuti in abbondante acqua salata, scolale e falle mantecare nella padella con la salsa. Tira fuori dal forno le melanzane e, con l'aiuto di un cucchiaio, togline la polpa e aggiungila alle bavette. Quindi riempi di pasta gli involucri delle melanzane svuotate e inforna per 3 minuti. Servi cospargendo di grana grattugiato e foglie di basilico fresco.

 # Cavatelli con acciughe e mozzarella

(di Marina)

Ingredienti per 4 persone: 500 g di cavatelli freschi, 25 g di acciughe sott'olio, un limone, un mazzetto di basilico, 200 g di mozzarella di bufala, 4 cucchiai di olio extravergine, sale. *Tempo:* 15 minuti.

Scola le acciughe dall'olio e mettile in una terrina con le foglie di basilico lavate e asciugate. Aggiungi anche il succo di limone e l'olio e frulla gli ingredienti fino a ottenere una salsa omogenea. Taglia la mozzarella a dadini e stendila ad asciugare su carta assorbente. Scola la pasta al dente, intiepidiscila sotto l'acqua corrente e condiscila con la salsa di acciughe e la mozzarella.

Tagliolini al salmone affumicato con profumo di arancia

(di Davide)

Ingredienti per 4 persone: 250 g di tagliolini secchi all'uovo, 100 g di salmone affumicato, 200 ml di panna fresca, 10 g di erba cipollina, un'arancia non trattata, 20 g di burro, pepe nero, sale. *Tempo:* 20 minuti.

Lava l'arancia, asporta metà della scorza con un pelapatate e riducila a striscioline sottili. Scotta le scorzette per pochi secondi in acqua in ebollizione, scolale, ripeti il passaggio, scolale di nuovo e tritale grossolanamente. Sciogli il burro in una padella, unisci il salmone tagliato a striscioline e il succo di arancia e lascialo ridurre della metà. Scola il salmone e tienilo da parte. Versa la panna nel fondo di cottura, regola di sale e continua a cuocere a fiamma vivace per 2-3 minuti, fino a che la panna si addensa leggermente. Cuoci i tagliolini in abbondante acqua salata, scolali al dente e versali nella padella con la salsa. Unisci il salmone, l'erba cipollina tagliuzzata e le scorzette di arancia, amalgama e servi, se piace, con una macinata di pepe nero.

Secondi

Stufato di pollo allo zafferano

(di Paula)

Ingredienti per 4 persone: un pollo (circa 1,2 kg) tagliato a pezzi, 400 g di patate novelle, 4 pomodori pelati, una cipolla di Tropea, un finocchio, un'arancia non trattata, una bustina di zafferano, un bicchiere di vino bianco, 4 cucchiai di olio extravergine, sale. *Tempo:* 60 minuti.

Elimina la pelle dai pezzi di pollo in modo da alleggerirlo dai grassi prodotti in cottura. Scalda l'olio in una casseruola, unisci il pollo e rosolalo su tutti i lati. Regola di sale e versa il vino bianco. Lascialo leggermente evaporare e aggiungi i pomodori spezzettati, la cipolla sbucciata e tagliata a fettine sottili, le patatine, la scorza di mezza arancia e il finocchio tagliato a spicchietti. Versa acqua bollente fino a coprire a filo il pollo e prosegui la cottura per 45 minuti. Quando mancano circa 15 minuti, preleva un mestolo di brodo, scioglivi lo zafferano, versalo nella casseruola e porta a cottura.

 # Filetto di maiale "di stagione"

(di Luca)

Ingredienti per 4 persone: 600 g di filetto di maiale, 200 g di 2 varietà di frutta di stagione, burro, pepe, sale. *Tempo:* 20 minuti.

Rifinisci i filetti privandoli del grasso e delle parti non idonee e tagliali in rondelle di circa 3,5 cm di spessore. Lava e taglia la frutta (che deve essere acquistata leggermente acerba) in spicchi o cubetti, avendo l'accortezza di tenere separate le varietà. Salta a fuoco vivo i 2 tipi di frutta separatamente in padella con un pizzico di sale e una noce di burro: la frutta non deve spappolarsi ma deve dorarsi e ammorbidirsi leggermente. In un'altra padella fai fondere 4 noci di burro e cuoci la carne in modo da far imbrunire l'esterno lasciando rosato l'interno. Servi mettendo nel piatto le rondelle di carne, la frutta saltata, la salsa di cottura della carne e una macinata di pepe.

Filetti di merluzzo con prosecco e tartufo nero

(di Caterina)

Ingredienti per 4 persone: 600 g di filetti di merluzzo, 200 ml di panna da cucina, un bicchiere di prosecco, mezzo dado da brodo, un cucchiaio di crema al tartufo, un tartufo nero (facoltativo), olio tartufato, sale, prezzemolo, burro, farina. Tempo: 30 minuti.

Dopo avere infarinato i filetti di merluzzo, falli rosolare nel burro rigirandoli delicatamente. Bagnali poi con il prosecco, che farai evaporare del tutto. Unisci la crema al tartufo, la panna, il dado da brodo e aggiungi il sale solo se necessario. A cottura ultimata, unisci il prezzemolo tritato, un filo di olio tartufato e, se ce l'hai, qualche scaglia di tartufo nero. L'accompagnamento ideale è una bella polenta fumante.

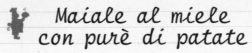

Maiale al miele
con purè di patate

(di Andrea Ribaldone)

Ingredienti per 4 persone: un filetto di maiale, 3 patate grandi bianche da purè, olio extravergine, 50 ml di miele di castagno, 70 g di zucchero di canna, 200 g di sale grosso, 10 g di curcuma, sale. *Tempo:* 30 minuti + il tempo di riposo.

Copri il filetto con il sale grosso miscelato allo zucchero e attendi circa un'ora (finché i succhi della carne saranno fuoriusciti e la miscela di sale e zucchero sarà diventata ben umida). Quindi lavalo, asciugalo e scottalo in padella a fiamma vivace per qualche minuto, in modo che risulti croccante all'esterno ma rosato all'interno. Lessa le patate fino a quando diventano morbide, quindi passale allo schiacciapatate o al setaccio fine e condiscile con olio, 2 cucchiai di acqua di cottura e sale. Con una frusta amalgama l'impasto fino a ottenere un purè, che con questa preparazione conserva intatto il sapore del tubero. In un padellino riscalda il miele con una quantità uguale di acqua, poi fuori fiamma aggiungi la curcuma. Affetta il maiale e servilo con il purè e la salsa al miele.

Manzo all'orientale

(di Angelika e Matteo)

Ingredienti per 4 persone: 4 filetti di manzo, 3 cucchiai di olio extravergine, uno spicchio di aglio, 3 cucchiai di salsa di soia, 2 cm di radice di zenzero, pepe nero. *Tempo:* 15 minuti.

Taglia a dadini piccolissimi lo spicchio di aglio sbucciato e la radice di zenzero pelata. Unisci i dadini alla soia, aggiungi un cucchiaio di olio e una macinata di pepe nero e lascia riposare per 10 minuti. Scalda 2 cucchiai di olio in una padella già calda e cuoci la carne secondo la cottura desiderata. Disponi i filetti sui piatti, incidine la superficie con un coltello e coprili con la salsa.

Tasca di vitello ripiena

(di Rosa)

Ingredienti per 4 persone: 600 g di spinacino di vitello (già inciso in modo da creare una tasca), 2 zucchine piccole, 100 g di mortadella, un uovo, 2 uova sode, 2 cucchiai rasi di parmigiano grattugiato, una cipolla, un gambo di sedano, una carota, sale. *Tempo:* 45 minuti.

Metti nel mixer zucchine, mortadella, l'uovo, parmigiano e sale. Riempi lo spinacino con l'impasto, infilaci dentro le uova sode sgusciate e chiudi con il filo da cucina. Lessa nella pentola a pressione con cipolla, sedano, carota e sale per 35 minuti (dal fischio). Fai raffreddare in pentola, estrai, taglia a fette e servi con un'insalatina.

RICETTE DI CASA MIA

Bocconcini di vitello con patate rosse

Tempo di preparazione: 80 minuti *Numero di persone:* 4 *Ingredienti e quantità:* 800 g di polpa di vitello mista, 4 patate medie, mezzo tubetto di concentrato di pomodoro, 500 ml di brodo vegetale, 20 g di farina bianca, 30 g di burro, pepe nero, sale.

Realizzazione: Riduci la carne a bocconcini di circa 2 cm e infarinala. Sciogli il burro in una casseruola, unisci la carne, falla rosolare su tutti i lati, aggiungi il concentrato di pomodoro sciolto in un mestolo di brodo e tutto il brodo rimasto. Copri e cuoci a fiamma bassa per circa 30 minuti. Lava le patate, pelale, tagliale a pezzetti e trasferiscile in una casseruola con acqua fredda. Cuocile per 5 minuti, scolale, uniscile alla carne e prosegui la cottura per altri 30 minuti, se necessario aggiungendo acqua bollente. Regola di sale e pepe e servi.

Secondo me, mia mamma si era inventata lo stratagemma di far diventare rosse le patate per rendere felice questa bambina che di colori pallidi non ne voleva proprio sapere. Forse le patate bianche non mi dicevano molto, e quindi l'aggiunta di colore le ha fatte diventare un cibo interessante. Credo di aver pensato: "Uhm... Andiamo a sentire che sapore hanno queste cose rosse". E lì ho capito che mi piacevano un sacco.

🍳 Vitello all'arancia

(di Paolo)

Ingredienti per 4-5 persone: 500-600 g di vitello (girello) in un solo pezzo, 6-7 arance non trattate, olio extravergine, sale. Tempo: 40 minuti.

Rosola la carne nell'olio, sala, aggiungi il succo di quattro arance e fai cuocere in questo liquido per circa mezz'ora. Taglia a striscioline le bucce di 2 delle arance (attenzione a privarle della parte bianca, che è amara!) e aggiungile al sughetto di cottura dopo aver levato la carne. Fai addensare leggermente. Quando il vitello si sarà raffreddato, taglialo a fettine sottili, disponile nel piatto di portata, irrorale con la salsina calda e guarniscile con fette dell'arancia rimasta.

Arrosto di pescatrice alla pancetta affumicata

(di Rossella)

Ingredienti per 4 persone: 800 g di coda di pescatrice (tagliata nella parte più larga), 100 g di pancetta affumicata in fette, 20 g di finocchietto e timo, 15 olive taggiasche, un limone non trattato, 2 spicchi di aglio, un bicchierino di vermut, 4 cucchiai di olio extravergine. Tempo: 30 minuti.

Leva l'osso centrale dalla pescatrice e separa i 2 filetti (o chiedi al pescivendolo di farlo per te). Snocciola le olive, schiacciale grossolanamente in un mortaio o con un pestacarne e tritale non troppo finemente. Lava il limone, asciugalo e preleva 2 strisce di scorza con un pelapatate. Monda il timo e il finocchietto e tritali finemente insieme alla scorza di limone. Unisci le olive, cospargi i filetti con questo trito, poi avvolgili nelle fette di pancetta in modo da ottenere 2 arrostini, che legherai con lo spago da cucina. In un tegame antiaderente che possa andare anche in forno scalda l'olio con l'aglio schiacciato ma non sbucciato, rosolaci il pesce rigirandolo, bagnalo con il vermut e trasferisci il tegame in forno preriscaldato a 180°. Cuoci per circa 20 minuti, elimina l'aglio e lo spago e taglia a fette spesse prima di servire.

Filetti di cernia agli agrumi

(di Daniela)

Ingredienti per 4 persone: 4 filetti di cernia, succo di un limone, succo di un'arancia, un ciuffo di prezzemolo, 2 cucchiai di olio extravergine, farina, pepe, sale. Tempo: 15 minuti.

Lava e asciuga i filetti, quindi passali nella farina. Scalda l'olio in una padella e unisci il pesce, facendolo rosolare per un minuto per lato. Regola di sale e pepe, poi irrora con il succo degli agrumi filtrato e aggiungi 2 cucchiai di prezzemolo tritato. Copri la padella e prosegui la cottura per 7-8 minuti su fiamma bassa. Servi immediatamente.

Sarde croccanti con polenta

(di Martino Scarpa)

Ingredienti per 4 persone: 24 sarde aperte, diliscate e pulite, 500 g di pangrattato, 200 g di amido di mais (maizena), 30 g di prezzemolo fresco tritato, 15 g di maggiorana tritata, 200 g di farina bianca per polenta, olio di arachide, 40 ml di olio extravergine, pepe, sale. *Tempo:* 30 minuti + il tempo di cottura della polenta.

Prepara una pastella poco densa con acqua fredda, la maizena e un pizzico di sale, e a parte mescola il pangrattato con il prezzemolo e la maggiorana. Passa le sarde prima nella pastella, poi nel pane aromatizzato, avendo cura di premere leggermente sui lati di ciascun pesce affinché il pane aderisca bene. Metti a riscaldare l'olio di arachide e, appena è a temperatura, friggi le sarde e condiscile con un pizzico di sale. Servile sopra una polenta morbida fatta con 800 ml di acqua, la farina, 20 g di sale e l'olio extravergine, cuocendo per 25 minuti circa.

 # Tacchino alle mele

(di Massimo e Tiziana)

Ingredienti per 6 persone: 800 g di fesa di tacchino intera, 200 g di mele, una cipolla, pepe, peperoncino in polvere, aceto, vino bianco, brodo vegetale, 3 cucchiai di olio extravergine. *Tempo:* 25 minuti.

Metti la fesa a rosolare in padella con la cipolla ta-

gliata a fettine e l'olio caldo. Sfuma con qualche cucchiaio di vino, insaporisci con pepe e peperoncino e poi
versa una tazza abbondante di brodo e prosegui la cottura a fuoco basso. Quasi al termine della cottura aggiungi le mele a fettine. Togli tutto dalla pentola, frulla le mele, affetta il tacchino e copri con la salsa ottenuta.

Alici con indivia
(di Patrizia)

Ingredienti per 4 persone: 500 g di alici fresche, 2 cespi
di indivia riccia, 30 g di pangrattato, 30 g di pecorino
romano, uno spicchio d'aglio, olio extravergine, pepe,
sale. Tempo: 25 minuti.

Accendi il forno a 180°, pulisci l'indivia, tagliala a
larghe strisce, lavala e asciugala. Sbuccia l'aglio,
schiaccialo e fallo dorare in una padella con 4 cucchiai
d'olio. Unisci l'insalata, sala e cuoci a fiamma vivace
finché non evapora la sua acqua. Pulisci le acciughe, lavale e asciugale con carta da cucina. Ungi leggermente
una teglia rotonda, disponi sul fondo un sottile strato
di indivia, prosegui alternando strati di acciughe, un
pizzico di sale e insalata. Cospargi la superficie di pangrattato mescolato con il pecorino, versa un filo d'olio
e cuoci in forno per 20 minuti.

Involtini di pollo alla salvia

(di Patrizia)

Ingredienti per 4 persone: 500 g di petto di pollo tagliato a fette sottili, 100 g di prosciutto crudo, 40 g di parmigiano, un rametto di salvia, mezzo bicchiere di vino bianco, 30 g di burro, sale. *Tempo:* 20 minuti.

Distendi le fette di pollo e coprile una per una con una fetta di prosciutto crudo, una scaglia di parmigiano e una foglia di salvia. Arrotola in modo da ottenere degli involtini compatti e legali con un giro di spago da cucina. Fai sciogliere il burro in una padella antiaderente, unisci gli involtini e lasciali rosolare tutto intorno per 3-4 minuti. Regola di sale (tenendo conto che il ripieno è già molto saporito), versa il vino bianco e lascia evaporare parzialmente, poi copri e cuoci per 15 minuti, aggiungendo un poco di acqua calda se necessario. Prima di servire elimina lo spago.

 # Baccalà alle erbe aromatiche

(di Martino Scarpa)

Ingredienti per 4 persone: 800 g di baccalà già ammollato, 500 ml di olio di oliva, timo, maggiorana, pepe verde, sale. *Tempo:* 50 minuti.

Taglia il baccalà in quattro tranci e falli rosolare velocemente in una padella antiaderente. In una pentolina versa tutto l'olio di oliva, unisci il timo, la maggiorana e il pepe verde e immergi i quattro tranci, facendoli cuocere a fuoco bassissimo per circa 40 minuti (l'olio non deve mai bollire). Una volta pronto, scola il baccalà, asciugalo leggermente e adagialo su un piatto. Versa un quarto dell'olio di cottura in una caraffa e con il frullatore a immersione emulsionalo con un poco di acqua fino a raggiungere una densità simile a quella della maionese. Sala questa emulsione e servila sopra i tranci. Come guarnizione usa qualche foglia di timo e di maggiorana freschi.

Costolette di agnello al vino rosso

(di Gianna)

Ingredienti per 4 persone: 12 costolette di agnello con l'osso, un bicchiere di vino rosso corposo, un mazzetto di rosmarino, una foglia di alloro, 4-5 bacche di ginepro, pepe nero in grani, 30 g di burro, farina bianca, olio, sale. *Tempo:* 30 minuti.

Metti il vino rosso in un pentolino insieme a spezie, aromi e rosmarino. Lascialo sobbollire a fuoco medio per circa 10 minuti, sino a quando si sarà ridotto alla metà. Infarina le costolette e falle rosolare a fuoco vivo da entrambe le parti in burro e olio. Bagnale con il vino dopo averlo filtrato, salale e aggiungi un poco di pepe macinato. Cuoci in padella ancora per 10 minuti, girandole un paio di volte. Servi con patate al forno o fritte.

Tonno e uova al verde

Questa è una ricetta pratica,
veloce da realizzare e molto
appetitosa, quindi cara Antonella
tienila da parte per quando hai
ospiti all'improvviso.

Rosa

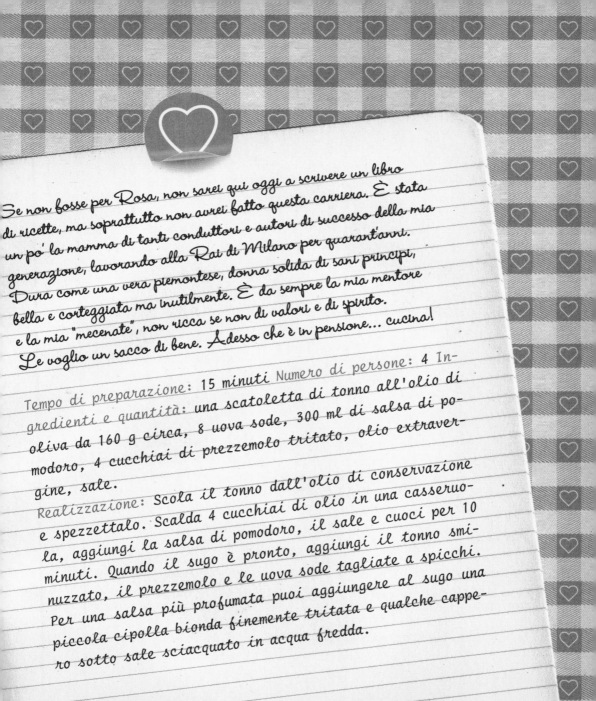

Se non fosse per Rosa, non sarei qui oggi a scrivere un libro di ricette, ma soprattutto non avrei fatto questa carriera. È stata un po' la mamma di tanti conduttori e autori di successo della mia generazione, lavorando alla Rai di Milano per quarant'anni. Dura come una vera piemontese, donna solida di sani principi, bella e corteggiata ma inutilmente. È da sempre la mia mentore e la mia "mecenate", non ricca se non di valori e di spirito. Le voglio un sacco di bene. Adesso che è in pensione... cucina!

Tempo di preparazione: 15 minuti Numero di persone: 4 Ingredienti e quantità: una scatoletta di tonno all'olio di oliva da 160 g circa, 8 uova sode, 300 ml di salsa di pomodoro, 4 cucchiai di prezzemolo tritato, olio extravergine, sale.

Realizzazione: Scola il tonno dall'olio di conservazione e spezzettalo. Scalda 4 cucchiai di olio in una casseruola, aggiungi la salsa di pomodoro, il sale e cuoci per 10 minuti. Quando il sugo è pronto, aggiungi il tonno sminuzzato, il prezzemolo e le uova sode tagliate a spicchi. Per una salsa più profumata puoi aggiungere al sugo una piccola cipolla bionda finemente tritata e qualche cappero sotto sale sciacquato in acqua fredda.

Filetti di triglia ai pistacchi di Bronte

(di Natale Giunta)

Ingredienti per 4 persone: 400 g di triglie, 100 g di caciocavallo ragusano, 100 g di pistacchi di Bronte, 200 g di mollica di pane, 20 g di capperi di Pantelleria, un porro, 2 zucchinette novelle, 2 carotine novelle, olio extravergine, pepe, sale. Tempo: 30 minuti.

Pulisci le triglie, spinale e battile tra due fogli di carta da forno per non rovinarli. Prepara un trito composto dalla mollica di pane, il caciocavallo, i pistacchi e i capperi. Passa entrambi i lati delle triglie nel trito, arrotola i filettini ottenuti e cuocili in forno per 10 minuti a 180°. Friggi il porro dopo averlo tagliato a julienne. Per decorare ogni piatto taglia a cubetti le verdurine e condiscile con olio, sale e pepe. Servi i rotoli di triglia disposti sopra le verdurine e il porro fritto. Per completare, aggiungi una spolverata di pistacchi.

Spezzatino di vitello

(di Marina)

Ingredienti per 4 persone: 800 g di bocconcini di vitello, una cipolla bionda, 3 cucchiai di doppio concentrato di pomodoro, 250 ml di brodo di carne, 4 cucchiai di farina bianca, 30 g di burro, sale. Tempo: 75 minuti.

Sbuccia e trita finemente la cipolla, falla soffriggere dolcemente in una casseruola con il burro, asportala con un mestolo forato e tienila da parte. Infarina i pezzi di carne, scuotili per eliminare l'eccesso di farina e falli rosolare nella casseruola. Unisci la cipolla soffritta e il concentrato di pomodoro sciolto nel brodo caldo e prosegui la cottura a fiamma bassa e a pentola coperta per circa un'ora, aggiungendo un mestolo di acqua calda se necessario. Regola di sale e servi accompagnando a piacere con purè di patate o polenta.

Involtini di lonza con rucola e caprino

(di Caterina)

Ingredienti per 4 persone: 800 g di lonza di maiale, 250 g di caprino, 100 ml di latte, una cipolla rossa piccola, rucola, rosmarino, salvia, olio extravergine, pepe, sale.
Tempo: 40 minuti.

Rosola in un tegame la lonza cosparsa con gli aromi tritati, sala, poi trasferisci in forno e prosegui la cottura per circa 20 minuti a 230°. Togli dal forno e lascia raffreddare in frigorifero per tagliare la carne più facilmente. Intanto, in una ciotola amalgama il caprino con il latte, la cipolla rossa tritata finemente, sale e pepe. Cospargi la carne, che avrai tagliato a fettine, con il composto di caprino, disponi sopra la rucola in modo che sporga un pochino da due lati e arrotola formando degli involtini. Disponili sul piatto di portata, versa sopra un filo di olio, macina del pepe e servi.

149

🦃 Sfiziosa gallinella di mare

(di Annalisa)

Ingredienti per 4 persone: 2 gallinelle di mare, un peperone rosso, una cipolla di Tropea, un ciuffo di prezzemolo, coriandolo fresco, capperi sotto sale, peperoncino, vino Vermentino, pepe verde, olio extravergine, 2 limoni. *Tempo:* 30 minuti + il tempo di marinatura.

Metti a mollo i capperi in acqua tiepida per 10 minuti, sciacquali e strizzali. Sfiletta i pesci e mettili a marinare per un paio d'ore nel succo di limone aromatizzato con prezzemolo, coriandolo, pepe verde, peperoncino e qualche cappero. Intanto prepara una salsina sminuzzando il peperone, la cipolla e il resto dei capperi, e aggiungendo prezzemolo, coriandolo, peperoncino, pepe verde e olio. Amalgama, spolvera con pepe macinato fresco e innaffia con un poco di Vermentino. Griglia i filetti di gallinella per pochi minuti e servili coperti di salsina.

👨‍🍳 Polpette in umido

(di Davide)

Ingredienti per 4 persone: 400 g di carne di manzo tritata, 100 g di salsiccia, 20 g di parmigiano grattugiato, 500 g di pomodori pelati, 4 cucchiai di olio extravergine, un uovo, pepe, sale. *Tempo:* 40 minuti.

Unisci in una ciotola la carne con la salsiccia spellata, l'uovo e il parmigiano. Regola di sale e pepe e impasta fino a ottenere un composto omogeneo. Prelevane un cucchiaino ben colmo alla volta e, con le mani umide, forma tante polpettine. Frulla i pelati con il loro succo. Scalda l'olio in una casseruola, unisci le polpettine e falle rosolare. Aggiungi la salsa di pomodoro, regola di sale e cuoci a fiamma dolce per circa 30 minuti. Per ottenere polpettine più morbide, mescola all'impasto 30 g di mollica di pane bagnata nel latte e strizzata, o una piccola patata lessata e schiacciata. Per un sugo più consistente, invece, infarina leggermente le polpette prima di cuocerle.

Seppie ripiene

(di Maurizio)

Ingredienti per 4-5 persone: 5 pomodori perini, 5 seppie grosse già pulite, 4 spicchi di aglio, prezzemolo, basilico, pangrattato, formaggio grattugiato, un bicchiere di vino bianco, un dado da brodo vegetale, olio extravergine. *Tempo:* 70 minuti.

Prepara un sugo facendo soffriggere nell'olio 2 spicchi di aglio e aggiungendo i pomodori già pelati, il basilico e il dado. Cuoci per 30 minuti. Nel frattempo fai soffriggere in un tegame 2 spicchi di aglio in pochissimo olio e aggiungi i ciuffi delle seppie. Dopo averle rosolate, unisci il vino e il prezzemolo e cuoci per 10 minuti. Frulla tutto aggiungendo il pangrattato e il formaggio. Riempi le seppie con il composto e chiudile cucendole con del filo da cucina. Disponile in un tegame, versa il sugo di pomodoro e cuoci in forno per 40 minuti a 160°.

RICETTE DI CASA MIA

Vitello tonnato

Tempo di preparazione: 50 minuti + il tempo di raffreddamento *Numero di persone:* 4 *Ingredienti e quantità:* 600 g di magatello di vitello, una cipolla, una costa di sedano, 2 carote, 160 g di tonno in scatola sott'olio, 100 ml di maionese, sale.

Realizzazione: Versa abbondante acqua in una casseruola e unisci la cipolla sbucciata, la costa di sedano lavata e le carote pelate. Porta a ebollizione, metti una presa di sale e il magatello e fai cuocere per circa 35 minuti. Leva il magatello dal brodo di cottura e tieni da parte le carote. Lascia raffreddare la carne, poi mettila in frigorifero. Frulla la maionese con il tonno sgocciolato e unisci le carote lessate. Frulla brevemente, in modo da ottenere una crema non troppo omogenea. Taglia il magatello a fettine sottilissime, disponile in un piatto, coprile con la salsa tonnata e servile con fagiolini tagliati, lessati e conditi con sale, olio e limone.

Lo dico con un certo orgoglio: questo è il piatto che ho personalizzato di più, lo sento un po' come una mia creazione. Intanto faccio bollire il magatello insieme alle verdure, poi frullo le carote con la maionese e, infine, intervengo sul colore, abbondando con il tonno in modo da farlo diventare più marrone. Quando mia sorella Cristina (con me nella foto) passa da Roma me lo chiede sempre. Ho anche escogitato un modo per conservarlo, perché mi piace mangiarlo il giorno dopo, quando è ancora più saporito: lo metto in un contenitore più alto che largo e ci spruzzo sopra qualche goccia di limone. Oltre che a conservarlo meglio, serve a evitare che la superficie diventi nera a contatto con l'aria.

Braciola di pesce spada con melanzane all'origano

(di Mauro Improta)

Ingredienti per 2 persone: 300 g di pesce spada in una fetta, una melanzana, 10 olive nere, 20 g di capperi, 80 ml di olio extravergine, origano fresco, aglio. Tempo: 20 minuti.
Batti il pesce spada tra 2 fogli di carta da forno e arrotolalo intorno a una farcitura di olive snocciolate e capperi. Rosolalo in padella con l'olio e uno spicchio di aglio, sigillando le estremità (a fiamma alta per evitare che si rompa e ne escano i succhi), e poi unisci la melanzana tagliata a dadini. A fine cottura sala e profuma con l'origano fresco.

Polpettine con pomodorini e olive

(di Paolo)

Ingredienti per 4 persone: 500 g di macinato scelto misto di manzo e vitello, 100 g di parmigiano, pomodori ciliegini a piacere, olive nere e verdi snocciolate a piacere, olio extravergine, sale. Tempo: 30 minuti.
Unisci al macinato il parmigiano grattugiato, il sale e un filo di olio, impasta con cura e forma con le mani inumidite delle polpettine grandi quanto una grossa ciliegia. Riscalda un poco di olio in una padella e falle rosolare leggermente. Taglia a dadini i pomodorini e le olive e uniscili alle polpettine, lasciando cuocere tutto insieme ancora per qualche minuto.

Salmone alle erbe
con crema di lattuga

(di Renato Salvatori)

Ingredienti per 4 persone: 4 grandi fette di salmone fresco tagliato a carpaccio, 200 g di filetti di merluzzo, un tuorlo, una cipolla, un cespo di lattuga, 3 cucchiai di olio extravergine, un pomodoro, 100 g di punte di asparagi surgelate, succo di un limone, 2 cucchiai di pepe rosa, un mazzetto di erbe aromatiche, pepe, sale. *Tempo:* 40 minuti.

Trita finemente il merluzzo (con una lama larga o una mezzaluna per non spappolarlo), sbuccia il pomodoro, privalo dei semi e taglialo a dadini. Taglia a pezzettini le punte di asparagi. Riunisci il merluzzo tritato, il tuorlo, sale e pepe, gli asparagi e il pomodoro, mescolando per bene. Distribuisci il composto sulle fette di salmone, poi avvolgile formando dei grossi involtini e legali. Rosola la cipolla affettata a velo con 2 cucchiai di olio, e quando diventa trasparente unisci le foglie di lattuga lavate e sgrondate. Fai stufare per 10 minuti finché non si sarà asciugata, poi insaporisci con sale e pepe, lascia intiepidire e frulla. Versa in una padella l'olio rimasto, unisci gli involtini e falli rosolare a fuoco basso, voltandoli delicatamente. Unisci il pepe rosa e le erbe aromatiche e cuoci per 15 minuti bagnando con un poco di succo di limone. Servi con la crema di lattuga.

Pesce salato

Mia cara Antonella, grazie infinite
per aver scelto anche delle ricette africane
e soprattutto congolesi.
Ti auguro un enorme successo per tutto
perché sei una bella persona.
Con affetto,

Maman Regine

156

Maman Regine è mia suocera, la mamma di Eddy. Vive a Bruxelles ma è congolese, e della sua amata terra conserva le abitudini e gli usi: dalle meravigliose trecce dei capelli ai colori sgargianti dei vestiti tipici africani, alla cucina a base di "pondu", il pollo speziato. Una cucina elaborata, piccante, allegra come un popolo che, attraverso Eddy e la sua famiglia, ho imparato a conoscere. Ma Regine è una donna pratica e moderna, porta con disinvoltura jeans e maglietta e cucina anche qualche specialità tipicamente belga, come lo "chicon gratin", vale a dire cozze e indivia con besciamella e prosciutto cotto. Spero che insegnerà queste ricette anche alla mia piccola Maelle.

Tempo: 25 minuti Numero di persone: 4 Ingredienti e quantità: 500 g di baccalà già ammollato, 2 cipolle, un peperone rosso, 2 pomodori abbastanza grandi, olio di oliva, sale.
Realizzazione: Taglia il pesce a pezzetti e mettilo a friggere in una padella con abbondante olio per 6-7 minuti. Quando è cotto, adagialo in un piatto e lascia l'olio nella padella. Nel frattempo avrai tagliato le cipolle a rondelle e il peperone e i pomodori a pezzetti. Metti le verdure a cuocere nella padella con l'olio utilizzato per il pesce. Falle rosolare fino a cottura, aggiungi il sale e servi insieme al pesce.

Polpettone di carne e ricotta

(di Pippo)

Ingredienti per 4 persone: 600 g di manzo tritato, 250 g di ricotta fresca, 2 uova, 200 g di pancetta a fette, 20 g di pane raffermo grattugiato, parmigiano grattugiato, noce moscata, vino bianco, prezzemolo tritato, sale. *Tempo:* 30-35 minuti + il tempo di raffreddamento.

Unisci in una scodella tutti gli ingredienti tranne la pancetta e il vino, amalgama e con le mani forma un polpettone a cilindro di buona consistenza. Ricoprilo con le fette di pancetta, riponilo in una teglia oleata e mettilo in forno preriscaldato a 180°. Cuoci per 30-35 minuti, fino a far diventare croccante la pancetta, aggiungendo mezzo bicchiere di vino e irrorando ogni tanto con il suo stesso sugo. Lascia raffreddare prima di servire.

Gamberi in pancetta con verdurine padellate

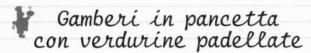

(di Martino Scarpa)

Ingredienti per 4 persone: 16 gamberoni interi, 16 fette di pancetta, un peperone rosso, un peperone giallo, 2 zucchine, una melanzana, un porro, aceto balsamico, olio extravergine, pepe, sale. *Tempo:* 30 minuti.

Priva i gamberoni del carapace, lasciando attaccato solo l'anello vicino alla testa e l'estremità della coda; poi con l'aiuto di uno stuzzicadenti leva il filo nero all'interno della coda. Avvolgi soltanto la coda dei gamberoni con una fetta di pancetta, adagiali su una placca da forno e cuoci a 180° per 10-12 minuti. Taglia a bastoncini sottili tutte le verdure (ricorda di usare soltanto la parte esterna delle zucchine e delle melanzane, cioè circa 1 cm di polpa; il rimanente lo userai per altre preparazioni). Comincia a soffriggere prima il porro, poi le melanzane, i peperoni e infine le zucchine. Quando sarà tutto ben soffritto, sfuma con un goccio di aceto balsamico, aggiusta di sale e pepe e finisci la cottura ricordandoti di mantenere le verdure leggermente al dente. Adagiale al centro del piatto e ponivi sopra i gamberoni.

Filetti di merluzzo alla senape

(di Davide)

Ingredienti per 4 persone: 600 g di filetti di merluzzo surgelato, un limone, 2 cucchiaini di senape dolce, 10 g di erba cipollina, 5 cucchiai di olio extravergine, sale.
Tempo: 15 minuti.

Fai lessare i filetti di pesce per il tempo indicato sulla confezione, scolali e trasferiscili in un piatto. Spremi il limone e mettine il succo in un vasetto di vetro munito di coperchio insieme a una presa di sale, alla senape, all'olio e all'erba cipollina tagliuzzata con le forbici. Chiudi il vasetto e scuotilo ripetutamente fino a ottenere un'emulsione omogenea. Versala sul pesce e lascia insaporire per 3-4 minuti prima di servire.

La sublime armonia
tra la bellezza di una donna
e la prelibatezza di una
pietanza. Questa è la
ricetta del cuore: la bellezza
e il cibo. Un binomio
pensato tra vista e gusto.

Natale Giunta

RICETTE DELLO CHEF

Cernia steccata al limone con patate e spumante

Tempo di preparazione: 40 minuti Numero di persone: 4 Ingredienti e quantità: 600 g di cernia, 100 ml di fumetto di pesce, un limone non trattato, misto di erbe aromatiche, 80 g di patate ratta (o patatine novelle), 100 ml di spumante, 100 ml di panna da cucina, 5 g di burro chiarificato, 20 ml di vino bianco, olio extravergine, pepe, sale.

Realizzazione: Taglia la cernia a pezzi grossi, incidili e steccali con una striscia di scorza di limone. Condisci con olio ed erbe e scottali in padella, poi inforna a 180° e cuoci per 15 minuti. Lessa le patate con le erbe aromatiche, poi filtrale in un telo da cucina inumidito con vino bianco. Lasciale intiepidire qualche minuto, pelale e falle rosolare in padella con burro chiarificato. Per la salsa, riduci lo spumante, unisci il fumetto di pesce e lascialo ridurre, versa la panna e continua a ridurre. Passa al setaccio la salsa ottenuta e insaporisci con sale e pepe. Adagia nel piatto la cernia con le patate accanto, versa attorno la salsa e guarnisci con erbe aromatiche.

Tartara di manzo alla Cesare

(di Cesare Marretti)

Ingredienti per 2 persone: 2 fette di filetto di manzo da 100 g l'una, succo di 4 limoni, erba cipollina, caprino, noci, pinoli, olio extravergine, sale, pepe. *Tempo:* 10 minuti.

Taglia ogni fetta in quattro pezzi e mettili a marinare per 5 minuti nel succo di limone. Taglia l'erba cipollina a bastoncini alti come la carne. Sala la tartara, spalmala di formaggio caprino morbido e fai aderire ai bordi l'erba cipollina. Irrora di olio e servi con noci, pinoli e pepe macinato al momento.

 # Petto di pollo esotico

(di Simone e Mita)

Ingredienti per 4 persone: 600 g di filetto di petto di pollo o tacchino, farina, 2 bicchieri di latte, un limone succoso, burro, curry, sale. *Tempo:* 20 minuti.

Infarina i filetti e adagiali in una padella antiaderente in cui avrai versato un bicchiere di latte e un po' di burro, aggiungi sopra altre scaglie di burro e cuoci a fuoco lento. Sciogli un cucchiaio di farina nel latte restante e durante la cottura usalo per irrorare la carne. Insaporisci con il curry e il sale e al termine unisci il succo del limone. Servi i petti in un piatto di portata coperti con la salsa ottenuta.

Il segreto in cucina è anche assaggiare

Scampi al sale

(di Maria e Giulio)

Ingredienti per 4 persone: 12 scampi grandi, 2 kg di sale grosso. *Tempo:* 30 minuti.

Disponi una base di sale grosso in una teglia da forno. Sistemaci sopra gli scampi interi e coprili con il sale rimasto. Inumidisci con poca acqua la crosta di sale e inforna a 250° per 20 minuti. A cottura terminata togli gli scampi dal sale e immergili un attimo in una ciotola colma di acqua e ghiaccio. Ora puoi servire con un'insalata.

Fagottini di vitello ripieni

(di Simone e Mita)

Ingredienti per 4 persone: 4 fettine grandi di vitello, 4 fette di prosciutto crudo, 4 fette sottili di formaggio dolce, 4 olive verdi snocciolate, pancetta affumicata, burro, parmigiano, olio, pepe, sale. *Tempo:* 25 minuti.

Stendi le fettine di vitello e su ciascuna aggiungi una fettina di prosciutto crudo e una di formaggio, poi ripiega in modo da ottenere 4 fagottini e chiudili alle estremità con gli stuzzicadenti. Fodera una teglia con la carta da forno, aggiungi un filo di olio e adagiaci dentro i fagottini. Unisci le olive e la pancetta tagliata a dadini. Aggiungi sui fagottini fiocchetti di burro, scaglie di parmigiano, pepe e un pizzico di sale. Cuoci in forno preriscaldato a 180° fino a quando i fagottini saranno ben dorati.

Arrosto con patate 🍲

(di Davide)

Ingredienti per 4 persone: 800 g di lonza di maiale, 500 g di patate, 50 g di pancetta affumicata, 5 foglie di salvia, un bicchiere di vino bianco, 6 cucchiai di olio extravergine, pepe nero, sale. *Tempo:* 50 minuti + il tempo di riposo.

Sbuccia le patate, lavale, tagliale a spicchi e mettile a bagno nell'acqua fredda per evitare che si anneriscano. Taglia la pancetta a bastoncini e, dopo aver praticato delle incisioni nella carne con un coltellino, infila un bastoncino in ciascuna incisione. Al termine, sfrega la carne con una presa di sale e una macinata di pepe. Scalda l'olio in una casseruola, unisci la carne e falla rosolare a fiamma vivace, rigirandola su tutti i lati. Bagna con il vino bianco, fai evaporare leggermente, poi unisci le patate e la salvia spezzettata, regola di sale e aggiungi un mestolo di acqua bollente. Copri la casseruola con un foglio di alluminio e prosegui la cottura nel forno preriscaldato a 170°. Dopo circa 20 minuti elimina l'alluminio e completa la cottura per altri 20 minuti. Per ottenere che la carne risulti più morbida e si distribuiscano bene i suoi succhi, a fine cottura avvolgila in un foglio di alluminio e lasciala riposare per 10 minuti prima di affettarla.

Gulasch di manzo

Una ricetta speciale per Antonella, che tanto ama i piatti invernali a base di carne. Questo si può preparare anche per grandi tavolate, come facciamo noi per gli amici nelle feste di Natale (e, chissà perché, ogni anno il numero degli ospiti aumenta...).

Angelika e Matteo

Matteo è uno dei miei autori. È uno che ha le palle, e non dimenticherò mai che lasciò "La Prova del Cuoco" quando mi misero in quarantena e rischio di venire con me, che allora facevo solo "Tutti pazzi per la tele", un programma cancellato dopo due puntate! Ma ci siamo rifatti: con il Festival di Sanremo, con "Ti lascio una canzone" e adesso con il mio ritorno al "Cuoco". Angelika è sua moglie e hanno una bimba poco più grande di Maelle che si chiama Melina. La particolarità è che Angelika, che parla un italiano perfetto, è austriaca. Ecco allora una ricetta un po' internazionale.

Tempo: 60-90 minuti Numero di persone: 4 Ingredienti e quantità: 500 g di bocconcini di manzo, 500 g di cipolle, 2 cucchiai di olio extravergine, un cucchiaio di aceto di vino, un cucchiaio di paprica dolce in polvere, un pizzico di paprica piccante, una foglia di alloro, una buona presa di maggiorana, mezzo cucchiaino di cumino, sale.

Realizzazione: Taglia le cipolle a cubetti e falle rosolare con l'olio in un tegame per circa 5 minuti. Sfuma con l'aceto, versa nella pentola mezzo litro di acqua, aggiungi la paprica dolce e porta a bollore. Versa i bocconcini di manzo, uno alla volta, sempre mescolando con un cucchiaio di legno. Aggiungi sale, cumino, maggiorana, alloro e paprica piccante secondo il gusto. Lascia bollire a fiamma bassa per almeno un'ora (ma più a lungo cuoce più si insaporisce) e aggiusta di sale a fine cottura. Gustosissimo da solo, si accompagna bene anche con la polenta o con patate bollite.

Baccalà all'olio con cipollotto e zucca

(di Natale Giunta)

Ingredienti per 4 persone: 240 g di baccalà già ammollato, 40 g di cipollotto a losanga, 60 g di bastoncini di zucca, un rametto di timo, 12 foglie di alloro, fumetto di pesce, zenzero candito, succo di limone, olio extravergine, pepe, sale. *Tempo:* 30 minuti.

In una casseruola, cuoci a fuoco lento per 30 minuti il baccalà immerso in olio con il cipollotto e gli aromi. Attenzione a non far bollire l'olio. Dopo la cottura, togli dall'olio sia il baccalà sia il cipollotto, recupera l'albumina di cottura (proteina rilasciata dal pesce che ha l'apparenza dell'albume cotto) del baccalà ed emulsionalo con succo di limone e poco fumetto di pesce. In una casseruola stufa il cipollotto con olio, sale e pepe. In un'altra stufa la zucca con olio. Unisci lo zenzero candito tritato. Servi su un piatto con foglie di alloro fritte.

Filetto in crosta

(di Elisabetta)

Ingredienti per 4 persone: 600 g di filetto di vitellone scelto dalla parte della testa, 250 g di pasta sfoglia surgelata rettangolare, 100 g di pâté di vitello, un rametto di rosmarino, 30 g di burro, farina, pepe nero, sale. *Tempo:* 40 minuti.

Cospargi il filetto con una presa di sale e una macinata

di pepe. Sciogli il burro in una casseruola insieme al rosmarino tritato e fai rosolare la carne per 3-4 minuti, rigirandola su tutti i lati. Leva il filetto e lascialo raffreddare completamente. Lavora il pâté per ammorbidirlo, quindi spalmalo sul filetto. Dopo averla fatta scongelare, srotola la pasta sfoglia sul piano di lavoro leggermente infarinato e avvolgici dentro la carne. Sigilla le aperture laterali spennellandole con un poco di acqua o latte e taglia via la pasta eccedente. Pratica un forellino al centro della sfoglia per permettere la fuoriuscita del vapore durante la cottura. Metti in forno preriscaldato a 200° e cuoci per circa 25 minuti. Lascia riposare per 5 minuti e servi a fette.

Filetto di maialino con balsamico e lamponi

(di Caterina)

Ingredienti per 2 persone: 350 g di filetto di maialino a fette spesse, 200 g di lamponi freschi, aceto balsamico, mezzo bicchiere di vino bianco secco, insalatina primaverile o misticanza, farina, burro, sale. Tempo: 10 minuti. Infarina i filetti e falli rosolare nel burro, bagnali con il vino e lascia evaporare. Unisci metà dei lamponi e, appena iniziano a disfarsi, aggiungi un filo di aceto balsamico. Togli i filetti, disponili sul piatto di portata guarnito con l'insalatina, fai restringere il sughetto di cottura e versalo sui filetti. Decora con i lamponi restanti.

🍄 Foglie rosse

(di Gianna)

Ingredienti per 2 persone: 12 fettine di carpaccio di manzo, 1-2 cespi di trevisana, olio extravergine, pepe, sale. Tempo: 20 minuti.

Ungi per bene con un filo di olio una teglia larga e disponi le fettine di carpaccio. Copri completamente con la trevisana, aggiungi sale e pepe. Irrora con olio e metti in forno preriscaldato a 200°. Cuoci fino a quando la trevisana non sia appassita (attenzione a non farla bruciare), avendo cura di mantenere rosata la carne.

Soufflé al formaggio

(di Rossella)

Ingredienti per 4 persone: 30 g di farina, 200 ml di latte, 3 uova, un albume, 50 g di groviera, 40 g di burro, pepe nero, sale. Tempo: 30 minuti.

Grattugia il formaggio con una grattugia a fori medi. Sciogli metà del burro in una casseruola, unisci la farina tutta in una volta, mescolala subito con un cucchiaio di legno e tostala nel condimento per 2-3 minuti. Versa a filo il latte, continuando a mescolare per evitare la formazione di grumi. Cuoci questa besciamella per 5 minuti a fiamma bassa, regola di sale e lascia intiepidire. Separa i tuorli dagli albumi e unisci i primi alla besciamella, uno alla volta. Monta gli albumi con un pizzico di sale, fino a che risultino ben gonfi ma ancora morbidi, e uniscine un cucchiaio al composto precedente. Mescola con delicatezza, aggiungi il formaggio grattugiato e gli albumi rimasti incorporandoli con una spatola e con movimenti dal basso verso l'alto. Imburra 4 stampi monoporzione da soufflé, riempili con il composto e cuoci nel forno preriscaldato a 180° per circa 20 minuti o finché i soufflé non appaiono ben gonfi e dorati. Ricordati di non aprire mai il forno durante la cottura. Sforna e servi immediatamente.

Tranci di rombo arrostiti al pepe con spinacini e pinoli

(di Paolo Zoppolatti)

Ingredienti per 4 persone: 600 g di filetti di rombo, 200 g di spinacini, 20 g di pinoli, uno spicchio di aglio, 10 g di pepe nero in grani, farina, olio extravergine, sale. *Tempo:* 20 minuti.

Togli la pelle al rombo, taglialo in tranci spessi 1 cm e mettili in una ciotola mescolandoli con il pepe nero schiacciato. Sala e passa ogni trancio nella farina. Cucinali in una padella con olio fino alla doratura. Nel frattempo tosta i pinoli in padella con poco olio e mettili da parte. In un'altra padella scalda l'olio con lo spicchio di aglio leggermente schiacciato e mettici gli spinacini. Cuoci per 4 minuti e aggiusta di sale. Servi disponendo al centro dei piatti gli spinacini, sopra i tranci di rombo e alla fine i pinoli tostati.

RICETTE DI CASA MIA

Coniglio in salmì

Tempo di preparazione: 2 ore e 30 minuti + il tempo di marinatura *Numero di persone:* 4 *Ingredienti e quantità:* un coniglio pulito e tagliato a pezzi, 2 coste di sedano, 2 carote, una cipolla bionda, una bottiglia di vino rosso, 4-5 chiodi di garofano, mezzo cucchiaino di pepe nero in grani, 2 foglie di alloro, 50 g di burro, sale.

Realizzazione: Lava e asciuga il coniglio, riuniscilo in una grande ciotola con il pepe, i chiodi di garofano, le carote pelate e tagliate a rondelle, la cipolla sbucciata e tagliata a spicchietti e il sedano ridotto a fettine. Versa il vino, unisci le foglie di alloro spezzettate, mescola, copri la ciotola e lascia marinare per tutta la notte in frigorifero. Il giorno dopo scola i pezzi di coniglio, asciugali con carta da cucina, sciogli il burro in una casseruola e falli rosolare su tutti i lati. Regola di sale, versa la marinata dopo averla filtrata e prosegui la cottura a pentola coperta e a fiamma bassa per un paio d'ore.

Questo è proprio il piatto che mi ricorda i freddi inverni del legnanese. Io adoro il freddo. Vivere a Roma, paradossalmente, mi ha fatto capire quanto mi manca la temperatura della mia città di origine, e soprattutto quel tipo di freddo che c'era quando ero bambina, con i "nebbioni" che adesso non ci sono più. Ecco, il coniglio in salmì, solo a nominarlo, mi fa tornare in mente i guanti di lana dentro i quali soffiavo il mio respiro caldo per poi infilarli e dare un po' di tepore alle mie mani di bimba.

Striscioline di pollo aromatiche con insalata

(di Marina)

Ingredienti per 4 persone: 600 g di petto di pollo a fette, 200 g di insalata mista, un cucchiaio di erbe di Provenza secche, uno spicchio di aglio, un limone, 6 cucchiai di olio extravergine, sale. *Tempo:* 20 minuti.

Taglia il pollo a striscioline larghe circa 1 cm e riuniscile in una ciotola con il succo del limone, una presa di sale, le erbe secche e l'aglio tagliato a fettine. Unisci metà dell'olio, mescola e lascia marinare per 10 minuti. Scalda una piastra per la cottura ai ferri o una grande padella antiaderente, scola il pollo e cuoci a fiamma vivace per 4-5 minuti. Elimina l'aglio e suddividi il pollo in quattro piatti piani sopra un letto di insalata. Condisci con un filo di olio, regola di sale e servi.

Tacchino all'aceto

(di Paolo)

Ingredienti per 4 persone: 500 g di fesa di tacchino, 2 bicchieri di aceto di vino, cipolla, sedano, carota, erbe aromatiche (timo, maggiorana, basilico, prezzemolo), limone, olio extravergine, sale. *Tempo:* 40 minuti.

Cuoci il tacchino per 30 minuti immerso nell'aceto aromatizzato con sedano, carota e cipolla. Lascia raffreddare e taglia a fettine sottili. Nel frattempo prepara un trito con le erbe aromatiche e uniscile a un'emulsione di olio, limone e sale. Cospargi abbondantemente le fettine con la salsina ottenuta e servi freddo.

Quaglie al cognac
(di Maria e Giulio)

Ingredienti per 6 persone: 6 quaglie, un bicchiere di vino bianco, mezzo bicchiere di cognac, 6 fette di pane, salsa di tartufo, olio al tartufo, burro, olio, pepe, sale. *Tempo:* 25 minuti.

Metti olio, sale e pepe in una padella e sfuma a caldo con il cognac. Aggiungi le quaglie, falle rosolare bene con il vino. Controlla la cottura con una forchetta: le quaglie sono pronte quando, se bucate con uno spiedino, non fuoriesce più liquido. Spalma la salsa di tartufo su 6 fette di pane e falle abbrustolire nel burro. Adagia le quaglie sui crostini e condisci il tutto con qualche goccia di olio al tartufo.

Semplicemente branzino
(di Cesare Marretti)

Ingredienti per 4 persone: 2 branzini da 400-600 g già puliti, 2 pomodori, 10 olive nere, 4 patate lessate, 4 cucchiai di olio extravergine. *Tempo:* 25 minuti.

Farcisci ogni branzino con un pomodoro affettato e metà delle olive. Vela una teglia da forno con l'olio e adagia dentro le patate tagliate a fette e i branzini. Copri la teglia con foglio di alluminio e cuoci a 200° per 20 minuti.

Filetti di orata al cartoccio
(di Luca)

Ingredienti per 4 persone: 4 filetti di orata, 4 pomodori perini, un limone non trattato, 8 foglie di basilico, 4 cucchiai di vino bianco, 4 cucchiai di olio extravergine, sale. *Tempo:* 25 minuti.

Taglia 4 fogli di carta da forno o di alluminio, stendili e disponi al centro di ognuno un filetto di orata. Insaporisci con un pizzico di sale. Lava e asciuga le foglie di basilico, spezzettale con le mani e distribuiscile sopra i filetti. Lava i pomodori, tagliali a fette sottili, allineale sopra il basilico e regola di sale. Lava il limone, preleva metà della scorza (solo la parte gialla) con un pelapatate, tagliala a julienne e cospargila sui pomodori. Condisci con il vino e l'olio, chiudi accuratamente i cartocci e cuoci per circa 15 minuti nel forno a 200°.

Petto di anatra con ciliegie
(di Andrea Ribaldone)

Ingredienti per 4 persone: un petto di anatra, 100 g di ciliegie fresche, 20 ml di vino rosso dolce, 20 g di burro, una barbabietola già cotta, olio extravergine, pepe, sale. *Tempo:* 15 minuti.

Cuoci il petto dalla parte della pelle, senza aggiungere grasso perché viene rilasciato dall'anatra. Tieni la cottura al rosa (circa 3 minuti per lato) e regola di sale. Fai saltare in una padella la rapa tagliata a pezzi e le ciliegie snocciolate con il burro e poco olio, irrorando con il vino. Taglia a fettine la carne e servila insieme alla rapa e alle ciliegie e con la salsa di cottura.

Involtini di coda di rospo e prosciutto

(di Renato Salvatori)

Ingredienti per 4 persone: 600 g di filetto di coda di rospo, 4 fette di prosciutto crudo, 12 foglie grandi di salvia, 50 g di burro, 500 g di piselli sgranati (o surgelati), pepe, sale. *Tempo:* 35 minuti.

Lava e asciuga le foglie di salvia. Dividi in 4 tranci il filetto, distendili, metti poco sale e pepe, appoggia su ognuno una foglia di salvia e arrotolali dentro le fette di prosciutto. Ferma con stuzzicadenti. Scalda 15 g di burro in una padella, unisci gli involtini e falli rosolare per 2 minuti voltandoli. Trasferiscili con il sughetto in una pirofila e metti per 10 minuti nel forno preriscaldato a 200°. Lessa i piselli per 10 minuti in acqua salata, scolali e passali al passaverdure, ottenendo un purè. Mettilo in una casseruolina, aggiungi sale e pepe, unisci 20 g di burro e fallo sciogliere a fuoco basso mescolando. In una padella scalda il burro rimasto fino a quando è spumeggiante, immergi le foglie di salvia e friggile a fiamma vivace, rigirandole, finché saranno croccanti. Servi il pesce accompagnato con purè di piselli e salvia fritta.

Pollo senza grassi

Cara Antonella, forse rispetto ad altri cibi succulenti questo pollo ti sembrerà un po' triste, ma dopo averlo mangiato di sicuro non ti sentirai in colpa!

Tiziana e Massimo

Quella di Tiziana e Massimo è una coppia molto legata nella vita e nel lavoro. Massimo è attore e grande doppiatore, Tiziana direttrice di doppiaggio. Un rapporto di ferro, il loro, fatto di complicità e di un grande amore che dura da trent'anni. Max è il cuoco di casa e vizia Tiziana e gli amici. Ma siccome è attento alla linea (tende anche lui a ingrassare), il lunedì cucina un succulento pollo dietetico...

Tempo di preparazione: 30 minuti Numero di persone: 4-6 Ingredienti e quantità: 600-800 g di petto di pollo a fettine, 12 pomodorini, passata di pomodoro, peperoncino in polvere, aglio, rosmarino, una carota, una zucchina, qualche foglia di bieta, 2 coste di sedano, una cipolla, mezzo bicchiere di vino bianco.

Realizzazione: Prepara un brodo vegetale con tutte le verdure fresche. Taglia i petti di pollo a listarelle e cuocili in padella con un trito abbondante di aglio e rosmarino, utilizzando il brodo al posto dell'olio. Insaporisci con il peperoncino al posto del sale. Aggiungi il vino e fai evaporare. Quando la carne sarà rosolata a sufficienza, aggiungi i pomodorini tagliati a pezzetti e qualche cucchiaio di passata di pomodoro, e prosegui la cottura coperto a fuoco basso, facendo attenzione a non far asciugare troppo.

Rotolo di filetto al cognac

(di Caterina)

Ingredienti per 2 persone: 500 g di filetto di manzo (in 2 fette tagliate spesse), 150 g di pancetta tesa (in 4 fette tagliate un po' spesse), un bicchierino di cognac, 100 g di panna da cucina, 20 g di burro, pepe, sale. *Tempo: 10 minuti.*

Disponi sopra e sotto ciascuna fetta di filetto una fetta di pancetta e arrotola ben stretto aiutandoti con filo da cucina. Cuoci i 2 rollé nel burro per pochi minuti, bagnali con il cognac, fiammeggia, unisci panna, sale e pepe. Accomoda sul piatto di portata e cospargi con la salsa di cottura.

 ## Maiale caramellato ai fichi

(di Renato Salvatori)

Ingredienti per 4 persone: 800 g di lonza di maiale, 3 cipollotti, un bicchiere di vino bianco, un cucchiaio di brodo granulare di carne, 300 g di riso Basmati, 6 fichi, un limone non trattato, un mazzetto di basilico, 6 cucchiai di olio extravergine, 2 cucchiai di salsa di soia, 30 g di burro, 3 cucchiai di zucchero, zenzero in polvere, pepe, sale. *Tempo: 50 minuti.*

Prepara il brodo con il granulare di carne. Con un coltellino preleva la scorza del limone e tagliala sottile a julienne. Pulisci il basilico e taglialo a julienne. Lava e asciuga i fichi, incidine 4 in spicchi e tagliane 2 a spicchietti. Pulisci i cipollotti, tagliali a metà nel senso della lunghezza, falli rosolare con l'olio in una padella larga. Unisci la lonza, falla dorare da tutti i lati, aggiungi sale, un pizzico di zenzero, pepe e bagna con il vino. Quando il vino sarà evaporato, unisci il brodo caldo e prosegui la cottura per 30 minuti, girando la carne ogni tanto. A metà cottura unisci la salsa di soia e i 2 fichi a spicchietti. Con lo zucchero e un poco di acqua prepara un caramello, unisci un pezzetto di burro e i fichi incisi; falli caramellare, toglili dal fuoco e tienili al caldo. Per accompagnare la cernia, cuoci il riso in acqua leggermente salata, scolalo e condiscilo con il burro rimasto e con la julienne di limone e basilico.

Spezzato di coniglio

(di Pippo)

Ingredienti per 4 persone: un coniglio a pezzi, farina, 2 spicchi di aglio, olio extravergine, mezzo bicchiere di vino bianco, sale. Tempo: 45-50 minuti.

Metti un poco di olio in una padella a bordi alti, fai rosolare bene gli spicchi di aglio poi toglili. Passa i pezzi di coniglio nella farina e falli rosolare in padella. Aggiungi il vino e cuoci fino a farlo evaporare, poi copri con acqua e fai cuocere per non meno di 45 minuti. Con la salsina, che avrai avuto cura di mantenere un po' liquida, condirai la polenta o le patate lesse con cui accompagnerai il coniglio.

Piatti unici
e contorni

Frico con patate e cipolle

(di Maria e Giulio)

Ingredienti per 4-6 persone: 400 g di formaggio Montasio stagionato 3 mesi, una cipolla, 4-5 patate, pepe, sale, olio extravergine. Tempo: 40 minuti.

Metti a rosolare in una padella con l'olio la cipolla tagliata finemente. Sbuccia le patate, tagliale a fettine sottili e aggiungile quando la cipolla si è ben dorata. Aggiusta di sale e di pepe (con moderazione), copri con un coperchio e cuoci a fiamma moderata. Taglia a dadini il formaggio e, dopo circa 30 minuti di cottura (o non appena le patate saranno cotte), aggiungilo nella padella. Amalgama tutto e copri con il coperchio. Quando si sarà formata una crosta dorata puoi servire.

Paella di quinoa

(di Barbara)

Ingredienti per 4 persone: 250 g di quinoa (o riso parboiled), 2 cipolle, 300 g di fagiolini a tronchetti, 250 g di piselli sgranati, 4 pomodori ramati tagliati a dadini, una bustina di zafferano, prezzemolo, brodo vegetale, succo di un limone, 200 g di seitan naturale. Tempo: 30 minuti.

Taglia finemente le cipolle e falle appassire in una pentola bagnandole con il succo di limone. Allunga con un poco di brodo, aggiungi la quinoa lavata e mescola. Unisci le verdure, amalgama molto bene e copri con il brodo. Aggiungi il seitan tagliato a listarelle. Cuoci a pento-

la coperta per circa 15 minuti, facendo asciugare la quinoa. A fine cottura aggiungi lo zafferano e cospargi di
prezzemolo tritato. La quinoa è molto povera di glutine
e può essere adatta nella dieta per celiaci; sul versan-
te proteico, invece, è una vera miniera.

Wok di verdure
(di Angelika e Matteo)

Ingredienti per 4 persone: 2 cucchiai di olio di semi di
girasole, un cipollotto fresco, una carota, una zucchina,
un peperone rosso, 250 g di germogli di soia; per la salsa: 3 cucchiai di vino bianco o di sherry, 3 cucchiai di
salsa di soia, un cucchiaio di zenzero grattugiato, sale.
Tempo: 30 minuti.

Scalda l'olio nel wok già caldo e fai soffriggere per un
paio di minuti il cipollotto tagliato a fettine. Aggiungi il peperone e la carota tagliati sottili e friggi per
5 minuti girando. Unisci la zucchina a rondelle sottili
e fai cuocere per altri 5 minuti. Le verdure devono ammorbidirsi ma rimanere al dente. Aggiungi i germogli di
soia e mescola bene per un minuto. In una tazza mescola
insieme il vino (o lo sherry) con la salsa di soia e lo
zenzero grattugiato. Versa questa salsa sopra le verdure
e mescola bene a fiamma alta per un minuto. Servi subito
insieme a riso Basmati bollito a parte. Puoi sostituire
queste verdure con altre, ma ricorda di iniziare sempre
la cottura da quelle che richiedono più tempo.

Teglia di carne e patate

(di Marina)

Ingredienti per 6 persone: 350 g di carne trita di manzo, 500 g di patate, 500 g di cipolle, 100 ml di yogurt bianco, 100 ml di panna fresca, paprica, una foglia di alloro, vino bianco, mezzo bicchiere di brodo, olio extravergine, sale, pepe. *Tempo:* 60 minuti.

Sbuccia le patate e le cipolle e affettale sottili. Fai rosolare nell'olio le cipolle e la carne trita con l'alloro, sale, pepe e un pizzico di paprica. Sfuma con un goccio di vino. In una teglia stendi uno strato di patate, copri con uno strato di carne e cipolle e prosegui fino a esaurire gli ingredienti terminando con le patate. Versa il brodo, copri con un foglio di alluminio e cuoci in forno a 180° per 40 minuti. Sforna e aggiungi la panna mescolata allo yogurt e altra paprica. Rimetti in forno a 200° per 10 minuti circa finché si addensa.

 # Frittata al forno con patate e verdure

(di Rossella)

Ingredienti per 4 persone: 2 patate, un peperone rosso grande, 2 zucchine, 8 uova, 30 g di parmigiano grattugiato, 5 cucchiai di olio extravergine, sale. *Tempo:* 40 minuti.

Lessa le patate, pelate e tagliate a pezzetti, per 5 minuti dall'inizio dell'ebollizione, scolale e tienile da parte. Lava il peperone e tagliane le falde a dadini. Lava le zucchine e tagliale a rondelle. Scalda l'olio in una padella antiaderente, unisci il peperone e cuocilo per 5-6 minuti a fiamma vivace. Aggiungi le patate, regola di sale e prosegui la cottura per 10 minuti. Da ultimo unisci le zucchine e cuoci per altri 5 minuti. Versa il tutto in uno stampo di 20 cm di diametro rivestito con carta da forno. Rompi le uova in una ciotola, sbattile con una presa di sale e il parmigiano e versale sulle verdure. Cuoci la frittata in forno preriscaldato a 180° per circa 10 minuti o fino a quando appare gonfia e dorata. Lasciala intiepidire e servila tagliata a spicchi.

Tortino di spinaci

(di Cristina)

Ingredienti per 4 persone: 300 g di spinaci, 250 g di ricotta, 2 uova, una manciata abbondante di parmigiano grattugiato, olio extravergine, uno spicchio di aglio, una confezione di pasta sfoglia, sale. Tempo: 45 minuti.
Lessa gli spinaci, poi falli saltare in padella con uno spicchio di aglio, un po' di olio e una presa di sale. In una terrina amalgama le uova con la ricotta e il parmigiano. Trita gli spinaci e aggiungili al composto. Stendi la pasta sfoglia sulla carta da forno in una teglia e versavi il composto. Con gli avanzi di pasta sfoglia ritaglia delle striscioline e disponile a griglia sopra il tortino. Metti per mezz'ora nel forno preriscaldato a 180° e servi caldo.

RICETTE DI CASA MIA

Pane e salsiva

Tempo: 2 minuti *Numero di persone:* 4 *Ingredienti e quantità:* salsa pronta in tubetto o concentrato di pomodoro, 4 fette di filone di grano duro o altro pane a piacere.

Realizzazione: Affetta il pane e spremi un poco di salsa di pomodoro proprio al centro della fetta. A me piaceva così, su pane fresco e spalmato grossolanamente, ma si può elaborare un pochino tostando il pane e aggiungendo un filo d'olio. Anche se è la ricetta più banale del mondo, io la trovavo buonissima!

Ancora adesso certe volte rido da sola quando, al supermercato, cerco la salsiva. Chissà come mi ero inventata questo nome. Forse, molto semplicemente, ero così piccola che la parola salsa poteva essere interpretata in vari modi. Avevo forse tre anni, ero già mangiona e anche un po' spavalda. Andavo a suonare il campanello della signora Rosanna e le chiedevo "pane e salsiva". Come poteva dirmi di no? E quindi lei, originaria di Piacenza, dove facevano un pane grande, diverso dalla "michetta" alla quale ero abituata io, ne tagliava una fetta, la spalmava bene bene con il concentrato di pomodoro e me la porgeva, certa di rendermi felice. Credo che lei sappia che le mie prime parole sono state: mamma, papà e... salsiva!

🧑‍🍳 Mus furlan (o Cao)

(di Maria e Giulio)

Ingredienti per 4-6 persone: 8-12 fette spesse di salame fresco, 2-3 bicchieri di latte di capra o di panna da cucina. *Tempo:* 20-30 minuti.

Metti le fette di salame in una padella antiaderente e, quando avranno rilasciato buona parte del loro grasso, toglile e tienile da parte. Versa nella padella il latte di capra oppure, per un sapore meno "pieno", la panna liquida e fai ridurre. Quando il latte si sarà addensato, rimetti nella padella le fette di salame e fai cuocere per 5 minuti. Servi con fette di polenta passate in padella.

🧑‍🍳 Torta al "testo"

(di Annalisa)

Ingredienti per 4-6 persone: 400 g di farina, una bustina di lievito per torte salate, latte o acqua per l'impasto, sale. *Tempo:* 20 minuti + il tempo di riposo.

Piatto tipico della tradizione gastronomica umbra, prende il nome dal "testo", un piano rotondo di ghisa che si fa scaldare bene sul fuoco per poterci cuocere sopra questa sorta di pizza. In alternativa, adopera una larga padella antiaderente senza grassi e, dopo averla scaldata, abbassa la fiamma per evitare di bruciare l'impasto. Mescola la farina con sale, lievito e latte o acqua (il latte rende la torta molto più morbida) fino a ottenere un impasto poco più consistente di quello per gli gnocchi. Lascialo riposare per 15 minuti, poi stendilo fino a ottenere un disco spesso 7-8 mm. Cuocilo sul testo (o nella padella) ben caldo, voltandolo quando il lato di cottura appare croccante. Il tempo di cottura è di circa 15 minuti. Taglia la "torta" a spicchi e farciscila secondo i gusti: per esempio, d'estate con stracchino e rucola condita con olio e sale, d'inverno con salsiccia alla griglia e verdure saltate in padella oppure con salumi affettati e formaggi. Le torte preparate in questo modo possono essere tranquillamente congelate.

Tortini di uova e patate

(di Paula)

Ingredienti per 2 persone: 500 g di patate a spicchi surgelate, 4 uova, un rametto di rosmarino, un pizzico di peperoncino piccante in scaglie, 2 cucchiai di olio extravergine, sale. Tempo: 15 minuti.

Versa l'olio in una padella antiaderente, scaldalo leggermente a fiamma bassa, unisci le patate ancora surgelate e cuocile secondo i tempi indicati sulla confezione. Stacca gli aghi dal rametto di rosmarino e tritali finemente. Distribuisci le patate nella padella in modo da creare 4 spazi vuoti, rompi in ciascuno di essi un uovo, regola di sale, cospargi di rosmarino e cuoci a fiamma media per un paio di minuti, fino a che l'albume si è rappreso. Unisci a piacere il peperoncino e servi.

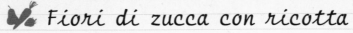

Fiori di zucca con ricotta

(di Mauro Improta)

Ingredienti per 4 persone: 8 fiori di zucca, 150 g di ricotta, 100 g di fiordilatte, un cucchiaio di grana, 4 foglie piccole di basilico, pepe. *Tempo:* 25 minuti.

Pulisci i fiori privandoli del pistillo e dei filamenti esterni. Setaccia la ricotta e amalgamala con il grana grattugiato, le foglie di basilico tagliate a julienne, il fiordilatte tagliato a dadini e il pepe. Riempi i fiori con la crema di ricotta, aiutandoti con una tasca da pasticciere, poi chiudili accuratamente. Cucinali al vapore oppure, se preferisci un sapore più deciso, passali in una semplice pastella e friggili in olio abbondante.

Timballo di uova piccanti

(di Valentina)

Ingredienti per 4 persone: 800 g di pomodori perini, 8 uova, mezza cipolla bionda, un mazzetto di basilico, 30 g di burro, peperoncino in polvere, pepe, sale. *Tempo:* 40 minuti.

Imburra una pirofila di 18 cm e rompici dentro le uova mantenendo intatto il tuorlo. Regola di sale e pepe e cuoci coperto con un foglio di alluminio in forno preriscaldato a 180° per 25 minuti. Intanto scotta i pomodori in acqua bollente, scolali, pelali, tagliali a metà, elimina i semi, riduci la polpa a dadini e metti in una casseruola. Aggiungi la cipolla sbucciata e tritata finemente, una presa di sale e una di peperoncino, il burro e cuoci coperto per 15 minuti. Unisci 5-6 foglie di basilico e frulla. Servi il timballo tiepido o freddo, tagliato a spicchi con la salsa calda.

Ricottine al forno con pomodorini
(di Elisabetta)

Ingredienti per 4 persone: 600 g di ricotta di pecora, 40 g di ricotta dura da grattugiare, 2 uova, 100 ml di panna da cucina, 200 g di pomodorini ciliegia, un limone non trattato, 10 g di erba cipollina, 4 cucchiai d'olio extravergine, sale. Tempo: 30 minuti.

Preriscalda il forno a 200°. Frulla nel mixer la ricotta con la panna, la ricotta dura grattugiata, la scorza grattugiata di mezzo limone, le uova e una presa di sale. Tagliuzza l'erba cipollina con le forbici, uniscila al composto, mescola e trasferisci in 4 stampini rivestiti con carta da forno. Cuoci in forno per 20-25 minuti. Intanto monda i pomodorini, lavali, asciugali, tagliali a metà e saltali in padella su fiamma vivace con l'olio e una presa di sale fino a che iniziano ad abbrustolire. Lascia riposare le ricottine per 5 minuti, sformale nei piatti e disponi sopra i pomodorini con il loro fondo di cottura.

Polpettone di cavolfiore

Adesso che Antonella è mamma
di una bambina golosa che,
come tutti i piccini, preferisce
le patatine fritte alle sane verdure,
bisogna aggirare l'ostacolo.
Questa ricetta funziona!

Barbara

194

Barbara è una delle più brillanti autrici televisive. Abbiamo avuto percorsi simili (siamo cresciute professionalmente alla Rai di Milano), ma incredibilmente ci siamo incontrate solo molti anni dopo. La scintilla è scoccata al Festival di Sanremo del 2005. È lì che, anche grazie a lei, è venuto fuori il mio lato più ironico e divertente. Per me si è trasferita a Roma con i suoi due splendidi gemelli Lodovico e Zoe e, tranne un paio di "corna" reciproche, abbiamo sempre lavorato insieme e... alla grande!

Tempo di preparazione: 40 minuti Numero di persone: 4 Ingredienti e quantità: un piccolo cavolfiore, 2 bicchieri di farina di grano duro, uno spicchio di aglio, 3 acciughe sotto sale (facoltative, solo se piacciono), 2 cucchiai di pinoli, olio extravergine.

Realizzazione: Scalda l'olio in un tegame largo e aggiungi l'aglio sbucciato e tritato, le acciughe lavate e diliscate e i pinoli. Fai rinvenire il tutto per qualche minuto e unisci il cavolfiore lavato e tagliato cima per cima. Versa un bicchiere d'acqua, copri e lascia cuocere per 15 minuti. Schiaccia poi il cavolfiore con una forchetta, unisci un filo di olio e la farina. Mescola bene e forma con le mani un polpettone un po' schiacciato di 3 cm di spessore. Mettilo a cuocere per altri 15 minuti in forno a 180° in una teglia leggermente unta. Lascia intiepidire, taglia e servi accompagnando con foglie di insalata di stagione.

Peperonata piemontese

(di Rosa)

Ingredienti per 4 persone: 4 peperoni grandi (2 rossi e 2 gialli), 1-2 spicchi di aglio, 4 filetti di acciuga, 250 ml di salsa di pomodoro, olio extravergine, sale. *Tempo:* 50 minuti.

Lava i peperoni, puliscili per bene asportando il torsolo e i semi, e tagliali a piccoli pezzi. Metti in una padella l'aglio sbucciato e tritato fine, i filetti di acciuga e l'olio. Quando le acciughe sono sciolte, aggiungi i peperoni tagliati, la salsa di pomodoro, il sale e un bicchiere di acqua. Cuoci coperto per mezz'ora a fuoco moderato e scoperto per altri 10 minuti.

Insalata di riso, senape e würstel

(di Patrizia)

Ingredienti per 4 persone: 300 g di riso per insalate, 4 würstel, 2 uova, un cucchiaino di senape dolce, succo di un limone, 5 cucchiai di olio extravergine, sale. *Tempo:* 30 minuti + il tempo di riposo.

Cuoci il riso in abbondante acqua salata secondo i tempi indicati sulla confezione, scolalo, raffreddalo sotto l'acqua corrente, scolalo di nuovo con cura e trasferiscilo in una grande ciotola. Condiscilo con l'olio sbattuto in una ciotolina insieme al succo di limone, a una presa di sale e alla senape, e mescola. Lava le uova, mettile in un pentolino coperte di acqua fredda e falle cuocere per 8 minuti dall'inizio dell'ebollizione. Raffreddale in acqua fredda o sotto l'acqua corrente e sgusciale. Porta a ebollizione dell'acqua in una casseruola, unisci i würstel, spegni la fiamma e lasciali a mollo per 5 minuti, poi scolali e falli raffreddare. Taglia le uova sode a pezzetti e i würstel a fettine e uniscili al riso, mescolando delicatamente. Lascia riposare per almeno mezz'ora prima di servire.

Involtini di melanzane

(di Maria e Giulio)

Ingredienti per 4-6 persone: 2 melanzane lunghe, 8-10 fette di prosciutto cotto, una scamorza affumicata, un barattolo di pomodori pelati, 30 g di parmigiano grattugiato, basilico fresco, sale. Tempo: 40 minuti.

Taglia le melanzane a fette nel senso della lunghezza e grigliale (anche su una padella antiaderente oppure infornandole per 10 minuti su carta da forno). Metti poi su ciascuna fetta il prosciutto, la scamorza tagliata a fettine e una foglia di basilico. Arrotola ogni fetta con il suo contenuto, fermale con uno stuzzicadenti e sistemale tutte in una teglia sul cui fondo avrai cosparso un poco di pomodoro. Copri gli involtini con il resto del pomodoro, qualche foglia di basilico e il parmigiano grattugiato. Metti per circa 20 minuti nel forno preriscaldato a 200°. Servi dopo aver fatto riposare per 5 minuti e aver tolto gli stuzzicadenti.

Un piatto che proponiamo da vent'anni nel nostro ristorante e piace sempre a tutti per la sua semplicità e naturalezza. Proprio come Antonella, che con la sua genuinità arriva al cuore delle persone.

Andrea Ribaldone

Carattere piemontese, ma sotto la scorza di timidezza e ritrosia un cuore che ha molto sofferto e altrettanto donato nella sua vita familiare, e che si sfoga nella sensibilità di una cucina curata nei minimi particolari. Nel suo ristorante a Spinetta Marengo (Alessandria) e alla "Prova del cuoco", Andrea Ribaldone esprime al massimo il suo mondo di interiorità e pensieri.

Cipolla cotta al sale

Tempo: 2 ore **Numero di persone:** 4 **Ingredienti e quantità:** 4 cipolle gialle di Castellazzo, 50 g di parmigiano grattugiato, 50 g di pane raffermo grattugiato, 3 kg di sale grosso, 4 cucchiai di olio extravergine, un pizzico di sale marino, pepe nero.

Realizzazione: Ricopri le cipolle con il sale grosso e tienile per 85 minuti nel forno a 170°. Quindi tagliane la parte superiore e con un cucchiaio svuotale della polpa, preservandone intera la buccia. Cuoci la polpa in padella con 2 cucchiai di olio per 20 minuti, poi frullala unendo 30 g di parmigiano, il pane grattugiato, sale e pepe fino a ottenere un composto denso e omogeneo. Riempi le bucce con la farcia, coprile con il restante parmigiano e 2 cucchiai di olio e passale in forno a 200° fino a che non saranno dorate (circa 5 minuti).

Pizzette di melanzane

(di Angelika e Matteo)

Ingredienti per 4 persone: 2 melanzane rotonde, 500 ml di polpa di pomodoro, capperi sotto sale, 4 filetti di acciuga all'olio di oliva, olio extravergine, sale. *Tempo:* 25 minuti + il tempo di raffreddamento.

Lava le melanzane e tagliale a dischetti spessi circa 1 cm. Disponile su un foglio di carta da forno in una teglia grande e distribuisci in maniera omogenea la polpa di pomodoro sui dischetti (2 cucchiai da cucina per ciascuno). Aggiungi su ogni dischetto capperi sciacquati, un filetto di acciuga tagliato a pezzettini, poco sale, una goccia di olio e, se piace, un poco di peperoncino. Metti nel forno preriscaldato a 180° e fai cuocere per 15 minuti. Servi le pizzette tiepide, oppure fredde il giorno seguente.

Fiori di zucca ripieni di zucchine con salsa al tartufo nero

(di Marco Parizzi)

Ingredienti per 4 persone: 12 fiori di zucca, 1 kg di zucchine, 4 scalogni, 200 g di parmigiano grattugiato, 50 g di tartufo nero, brodo di carne, burro, olio, sale. *Tempo:* 20 minuti.

Lava i fiori e privali del pistillo. Taglia gli scalogni a julienne e falli appassire in una padella con l'olio. Nel frattempo, lava per bene le zucchine, tagliale a metà nel senso della lunghezza e privale dei semi nella parte centrale. Tagliale poi molto finemente, aggiungile agli scalogni e fai cuocere per 10 minuti circa. Passa al mixer il composto ottenuto, aggiungi il parmigiano grattugiato, sala e metti il tutto in una tasca da pasticciere. Riempi i fiori e cuocili per 5 minuti a vapore. Per la salsa, fai rosolare con un poco di burro il tartufo nero tagliato a cubetti, aggiungi il brodo e fai ridurre. Disponi nel piatto i fiori e coprili con la salsa e alcune scaglie di tartufo nero.

Torta di polenta e carciofi

(di Barbara)

Ingredienti per 4 persone: 250 g di farina di mais, 7 carciofi, 2 uova, 100 g di parmigiano, olio extravergine, pangrattato, noce moscata, sale. *Tempo:* 70 minuti.

Pulisci i carciofi, lavali, falli lessare e tagliali a pezzetti. Porta una pentola di acqua a ebollizione, aggiungi il sale, versa a pioggia la farina di mais e fai cuocere per 30 minuti mescolando con una frusta (se proprio devi risparmiare tempo, puoi anche usare la polenta istantanea). Versa la polenta in una terrina e, mescolando, unisci le uova, i carciofi a pezzetti, la noce moscata e il parmigiano grattugiato. Quando sarà ben amalgamato, versa il composto in una teglia unta di olio e cosparsa di pangrattato. Inforna a 180° per 40 minuti. Servi dopo aver lasciato riposare per 10 minuti.

RICETTE DI CASA MIA

Bruscitt con polenta

Tempo: 80 minuti *Numero di persone:* 4

Ingredienti e quantità: 600 g di scamone di manzo a fette, 4 pomodori pelati, 2 foglie di alloro, 2 chiodi di garofano, mezza bottiglia di vino rosso, uno spicchio di aglio, 40 g di burro, pepe nero, sale.

Realizzazione: Sbuccia l'aglio e taglia la carne a dadini molto piccoli. Sciogli il burro in una casseruola e unisci l'aglio, l'alloro e i chiodi di garofano. Aggiungi la carne e falla rosolare uniformemente per 4-5 minuti. Aggiungi i pomodori spezzettati e prosegui la cottura a fiamma bassa per circa un'ora, unendo il vino poco alla volta. Elimina l'aglio e i chiodi di garofano, aggiungi una macinata di pepe e servi accompagnando con polenta fumante.

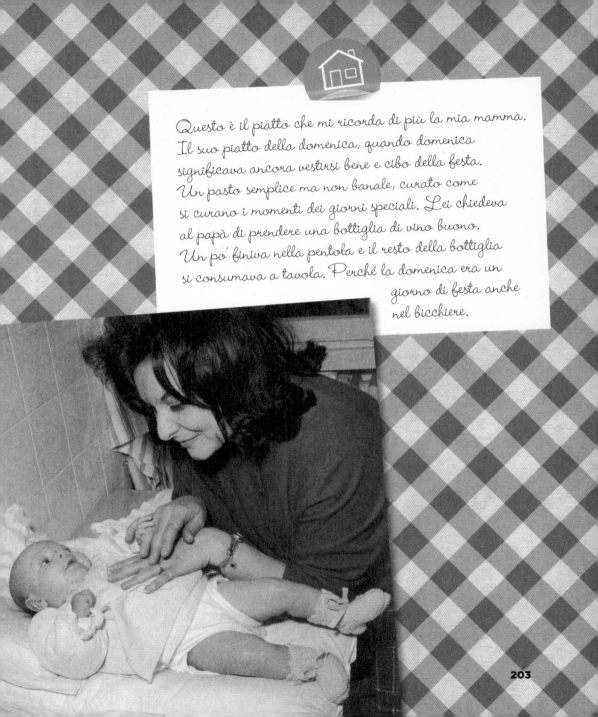

Questo è il piatto che mi ricorda di più la mia mamma.
Il suo piatto della domenica, quando domenica
significava ancora vestirsi bene e cibo della festa.
Un pasto semplice ma non banale, curato come
si curano i momenti dei giorni speciali. Lei chiedeva
al papà di prendere una bottiglia di vino buono.
Un po' finiva nella pentola e il resto della bottiglia
si consumava a tavola. Perché la domenica era un
giorno di festa anche
nel bicchiere.

Frittata di stoccafisso e carciofi

(di Simone e Mita)

Ingredienti per 4 persone: 400 g di stoccafisso già ammollato, 4 carciofi medi, 6 uova, un rametto di rosmarino, uno spicchio di aglio, olio extravergine, pepe, sale. Tempo: 50 minuti.

Lava e asciuga lo stoccafisso, elimina tutte le spine residue, poi lessalo in acqua salata per 40 minuti, levalo dalla pentola e fallo sgocciolare. Nel frattempo, pulisci i carciofi, tagliali a fettine e falli rosolare in una padella antiaderente con l'aglio, il rosmarino e un filo di olio. Elimina gli odori, adagia nella padella lo stoccafisso ridotto a pezzetti e versa sopra le uova sbattute, che avrai salato e pepato. Fai rapprendere per qualche minuto, poi gira la frittata e termina la cottura.

Ceci, scamorza e sedano

(di Assuntina)

Ingredienti per 4 persone: una scatola di ceci, una scamorza affumicata, un gambo di sedano, un ciuffo di prezzemolo, olio extravergine, sale. Tempo: 5 minuti.

Scola i ceci eliminando il liquido di conservazione. Tagliuzza la scamorza a dadini e il gambo di sedano già lavato in rondelle molto sottili. Unisci il tutto in un'insalatiera e condisci con sale, olio e prezzemolo fresco tritato.

Torta salata
con verza e formaggio

(di Paula)

Ingredienti per 4 persone: 240 g di pasta brisée pronta in rotolo, 400 g di verza, 200 g formaggio Asiago fresco, 400 ml di latte, 2 uova, 30 g di farina, 30 g di burro, sale. Tempo: 50 minuti.

Preriscalda il forno a 180°. Pulisci la verza, elimina il torso centrale, stacca le foglie ed elimina la costa dura. Tagliale a striscioline, lavale in acqua fredda, scolala e scottala in acqua in ebollizione salata per 5 minuti. Scolala e tienila da parte. Sciogli il burro in una casseruola, unisci la verza, lasciala insaporire per qualche minuto e spolverizzala con la farina. Versa a filo il latte, mescolando con un cucchiaio di legno e prosegui la cottura su fiamma bassa per 6-7 minuti. Elimina la crosta al formaggio e grattugialo con una grattugia a fori grossi, leva la padella dal fuoco e unisci il formaggio. Mescola fino a che si è sciolto, trasferisci il composto in una ciotola e lascia intiepidire. Unisci le uova e mescola. Rivesti con la pasta brisée uno stampo del diametro di 22 cm, bucherella il fondo per evitare che si gonfi durante la cottura e riempilo con il composto preparato. Cuoci la quiche nella parte bassa del forno per circa 40 minuti e servila calda o tiepida.

Fritto vegetariano in pastella di ceci

(di Renato Salvatori)

Ingredienti per 4 persone: 4 carote novelle, 4 cipollotti, 4 patate novelle, 8 foglie di salvia larghe, 8 piccole zucchine con il fiore, paprica in polvere, abbondante olio per friggere, sale; per la pastella: 200 g di farina di ceci, un uovo, mezzo cucchiaio di lievito in polvere per torte salate, 50 ml di birra chiara, un cucchiaio di olio extravergine. Tempo: 40 minuti + il tempo di riposo. Con una forchetta sbatti l'uovo in una ciotola e amalgama con la farina di ceci setacciata. Unisci il lievito setacciato e l'olio, quindi versa a filo la birra e circa 150 ml di acqua tiepida. Lavora a lungo con la frusta (altrimenti la farina di ceci, impalpabile com'è, può formare facilmente dei grumi) fino a ottenere una pastella liscia piuttosto densa. Lascia riposare coperto con pellicola per un'ora circa. Pulisci e lava le verdure, taglia le patate a fettine piuttosto sottili, i cipollotti a spicchietti e le carote nel senso della lunghezza, lasciando invece intere le zucchine (leva però il pistillo dai fiori). Lava e asciuga le foglie di salvia. Passa nella pastella di ceci tutte le verdure e le foglie di salvia, immergile poche alla volta in abbondante olio ben caldo e, quando saranno dorate da tutte le parti, levale con una schiumarola e sgocciolale su carta da cucina a perdere l'unto in eccesso.

Inizio a tritare il prezzemolo
per la mia salsa verde

Torta prosciutto e mozzarella

(di Simone e Mita)

Ingredienti per 4 persone: 350 g di farina, 2 uova, 12 g di lievito di birra, un bicchiere di latte, 200 g di mozzarella, 100 g di prosciutto crudo o cotto, 80 g di burro o di margarina, un cucchiaio di olio extravergine, zucchero, sale. *Tempo:* 55 minuti + il tempo della lievitazione.

Setaccia la farina, disponila a fontana e mettici le uova, il burro (o la margarina) precedentemente sciolti a bagnomaria, l'olio, il latte, un pizzico di sale e uno di zucchero, la mozzarella e il prosciutto tagliati entrambi a dadini e infine il lievito sbriciolato con le mani. Impasta il tutto fino a ottenere un composto morbido. Con le mani unte stendi l'impasto in una teglia e lascialo lievitare coperto per almeno 2 ore, poi trasferisci nel forno preriscaldato a 180° e fai cuocere per 45 minuti.

Quiche speck e zucchine

(di Luca)

Ingredienti per 4 persone: 250 g di pasta sfoglia, 100 g di speck in una sola fetta, 4 zucchine medie, 200 ml di panna fresca, 2 uova, 40 g di parmigiano grattugiato, 20 g di burro, sale. *Tempo:* 45 minuti.

Lava e pulisci le zucchine e tagliale a fette sottili. In una padella antiaderente sciogli il burro a fiamma moderata, aggiungi lo speck tagliato a dadini e, dopo qualche secondo, le zucchine. Fai cuocere a fiamma bassa per

5 minuti, regola di sale e lascia raffreddare. Rompi le uova in una ciotola e sbattile leggermente insieme al parmigiano, alla panna e a una presa di sale. Stendi la pasta sfoglia in uno stampo da crostata del diametro di 20 cm, bucherellane il fondo con una forchetta e riempi con il composto di speck e zucchine. Versaci sopra la miscela di panna e uova e ripiega verso l'interno tutta la pasta in eccesso, appoggiandola sul ripieno. Cuoci per circa 35 minuti nel forno preriscaldato a 180°, avendo cura di collocare lo stampo nella parte bassa, al fine di ottenere una perfetta cottura della pasta della base, che si trova a contatto con il ripieno liquido e ha bisogno di asciugarsi per bene. Servi tiepido.

Insalata croccante di indivia belga

(di Paula)

Ingredienti per 4 persone: 2 cespi di indivia belga, una mela Granny Smith, 100 g di mandorle a lamelle, 2 cucchiai di olio extravergine, succo di mezzo limone, uno spicchio di aglio, sale. Tempo: 15 minuti + il tempo di riposo.
Sbuccia la mela e tagliala a cubettini. Monda l'indivia, lavala e asciugala, poi tagliala a listarelle. Riunisci gli ingredienti assieme alle mandorle in un'insalatiera e condisci il tutto con un'emulsione di olio, limone, aglio spremuto e sale. Lascia riposare l'insalata 15 minuti prima di servire.

Coniglio in casseruola

Ecco un piatto dedicato ad Antonella col cuore. Dopotutto, è uno dei suoi preferiti!

Myriam

Myriam è come l'araba fenice: risorge sempre dalle sue ceneri. Allegra anche nelle disgrazie, positiva e solare, è un'amica irrinunciabile. Casinara, sempre di corsa, fa duemila lavori ed è generosa con tutti, forse troppo. In cucina è come nella vita, ma per miracolo i suoi piatti riescono a meraviglia. Immagina ai fornelli un incrocio tra Alba Parietti e Pamela Anderson con dieci chili in più e qualche centimetro in meno. Un'esplosione di vitalità, con un cuore grande grande, è l'amica che per me c'è sempre.

Tempo: 60 minuti Numero di persone: 4 Ingredienti e quantità: un coniglio, olio extravergine, un rametto di rosmarino, qualche foglia di salvia, un bicchiere di vino bianco, un dado da brodo, pepe, sale.

Realizzazione: Lava il coniglio e taglialo. Mettilo in una casseruola con olio, rosmarino e salvia, e fallo rosolare, poi unisci il vino e lascia evaporare. Aggiungi sale e pepe quanto basta. Porta avanti la cottura a fiamma bassa per 30 minuti. In una pentola prepara un po' di brodo con acqua e dado per continuare a bagnare il coniglio durante tutta la cottura. A parte, per accompagnarlo, puoi preparare patate al forno oppure la classica polenta gialla con acqua, sale e farina bramata di mais, o anche la polenta taragna con farina di grano saraceno mista a farina di mais (calcola 50 minuti di cottura).

Zucchine alla besciamella

(di Paolo)

Ingredienti per 4-5 persone: 5 zucchine, 500 ml di besciamella, 50 g di prosciutto cotto, 50 g di parmigiano grattugiato. *Tempo:* 30 minuti.

Fai lessare le zucchine intere, avendo cura di levarle dall'acqua un po' al dente. Lasciale raffreddare, poi tagliale in due per il senso della lunghezza e svuotale della polpa. Riempi la cavità con un composto di prosciutto tagliato finemente e besciamella. Disponi le barchette ripiene in una teglia, cospargile di parmigiano e fai gratinare in forno a 200° per qualche minuto.

Scarola riccia ripiena e confettura di agrumi

(di Sal De Riso)

Ingredienti per 6 persone: 3 scarole ricce, 6 filetti di alici puliti e spinati, uno spicchio e mezzo di aglio sbucciato, 30 g di pinoli, 30 g di pistacchi pelati di Bronte, 30 g di uvetta sultanina, 30 g di capperi, olio extravergine, sale; per la decorazione: un vasetto di confettura di agrumi. *Tempo:* 30 minuti.

Lava le scarole, puliscile eliminando le foglie esterne rovinate e, con un coltellino, taglia la parte scura nella zona inferiore di ciascun cespo. Apri le scarole a fiore e inserisci al centro di ognuna 2 filetti di alici, mezzo spicchio di aglio, 10 g di pinoli, 10 g di pistacchi, 10 g di uvetta sultanina, 10 g di capperi e un pizzico di sale. Richiudi ogni scarola e legala con lo spago da cucina. Ponile tutte e 3 in una padella e aggiungi un filo di olio e mezzo bicchiere di acqua. Fai cuocere coperto a fuoco basso, girando di tanto in tanto e controllando la cottura. Una volta cotte, lasciale intiepidire e, al momento di servire, elimina lo spago. Adagia ogni scarola al centro di un piatto e guarnisci con un cucchiaio di confettura di agrumi. Per esaltare al massimo il sapore di questo piatto, che è una ricetta originale di mia madre Carmela, ti consiglio di prepararlo il giorno precedente al suo consumo.

Scrigno di patate

(di Rosa)

Ingredienti per 4 persone: 4 patate grandi, 200 g di carne di vitello tritata, un uovo, un uovo sodo, 3 cucchiai di parmigiano grattugiato, olio extravergine, sale. *Tempo:* 70 minuti.

Lessa le patate ben lavate senza sbucciarle. Lasciale raffreddare, tagliale a metà e scavale un po' con un cucchiaino avendo cura di non romperle. Prepara un impasto unendo la carne tritata, il parmigiano, l'uovo sodo sminuzzato e il sale e amalgamando il tutto con l'uovo fresco. Riempi di impasto le mezze patate scavate, disponile in una teglia poco unta e passale nel forno preriscaldato a 200° per circa 30 minuti.

RICETTE DI CASA MIA

Salsa verde

Tempo: 10 minuti *Numero di persone:* 4 *Ingredienti e quantità:* un mazzetto di prezzemolo, 2 acciughe sotto sale, 20 g di mollica di pane raffermo, un cucchiaino di capperi sott'aceto, uno spicchio di aglio, un cucchiaio di aceto di vino bianco, 50 ml di olio extravergine, sale.

Realizzazione: Metti le acciughe a bagno in acqua per 20 minuti, scolale, sciacquale e puliscile. Monda e lava il prezzemolo, asciugalo e frullalo insieme con le acciughe, lo spicchio di aglio sbucciato e privato dell'anima centrale, i capperi, la mollica di pane spezzettata e bagnata con l'aceto, una presa di sale e l'olio. Se piace, puoi aggiungere una puntina di senape. Servi con il bollito misto, con patate lesse e tonno sott'olio oppure con la lingua salmistrata.

La salsa verde era forse l'unica salsa che mia mamma sapesse fare davvero bene, e perciò ce la proponeva abbinata a vari piatti e con una certa frequenza. Bisogna dire che la faceva a mano, non con il frullatore, e le riusciva sempre ottimamente. Alcuni piatti ai quali la accompagnava, però, a me proprio non piacevano, come la lingua salmistrata o il cotechino. Io impazzivo invece per lo stracotto, quello con un po' di nervetti e un po' di grasso e che con questa salsina diventava davvero sublime.

Nella foto sono con Gianna e Simona, le mie amiche di sempre.

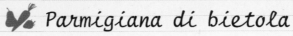 Parmigiana di bietola

(di Mauro Improta)

Ingredienti per 4 persone: un cespo di bietola a costa larga, 200 g di mozzarella di bufala fresca, 10 foglie di basilico, 150 g di grana grattugiato, 250 g di pomodori pelati, 70 ml di olio extravergine, uno spicchio di aglio,
sale. *Tempo:* 50 minuti.

Fai soffriggere l'aglio sbucciato nell'olio, toglilo e
aggiungi i pelati. Sala e cuoci per 20 minuti a fiamma
bassa. Sfoglia la bietola, separando le coste dalle foglie, lavale e poi sbollentale separatamente in acqua salata finché non saranno diventate tutte tenere. Nel frattempo, taglia la mozzarella a bastoncini. Copri il fondo
di una pirofila con un mestolo di salsa e adagia coste e
foglie pareggiando bene lo strato. Copri con i bastoncini di mozzarella, il basilico spezzettato con le mani e
una spolverata di grana. Continua a sovrapporre strati di
foglie e coste in questo modo finché non avrai esaurito
gli ingredienti. Rifinisci con la salsa e il grana e metti per 15 minuti nel forno preriscaldato a 170°. Servi
caldo.

Patate al cumino

(di Angelika e Matteo)

Ingredienti per 4 persone: 8 patate novelle medie, semi
di cumino (kummel), sale. *Tempo:* 40 minuti.

Lava bene le patate senza sbucciarle. Tagliale a dischetti

spessi mezzo centimetro e salale da entrambi i lati. Disponile su un foglio di carta da forno in una teglia o, meglio ancora, su una griglia. Spargi i semi di cumino (da 3 a 5 semi per dischetto) e infila in forno preriscaldato a 200° per 30 minuti, senza aggiungere né olio né altri grassi. Sforna quando le patate si gonfiano e assumono un colore lievemente dorato.

Saka saka

(di Maman Regine)

Ingredienti per 4-6 persone: 400 g di foglie di manioca, 2 peperoni rossi, 2 peperoni verdi, 3 melanzane, 4 cipolle, sale, 7 cucchiai di olio di palma o di arachidi, una scatoletta di sardine. Tempo: 60 minuti.

Il piatto è tipico della cucina congolese. Lava e tagliuzza le foglie di manioca, mettile in una pentola con acqua salata e falle bollire per un'ora. Nel frattempo monda e trita i peperoni, le melanzane e le cipolle. Quando la manioca assume un colore giallastro, aggiungi gli ortaggi tritati e fai cuocere a fiamma bassa, mescolando sempre per evitare che si attacchino al fondo. Dopo circa 45 minuti, aggiungi le sardine sminuzzate con una forchetta, l'olio e il sale e continua a cuocere per altri 15 minuti. Servi caldo o freddo con riso Basmati oppure con banane platano bollite.

Piada con squacquerone

La mitica piadina farcita fatta in casa. Una golosità, semplice e saporita, che Antonella adora. E il colore del formaggio ricorda il suo adorato bianco, presente in tutte le case che abbiamo arredato insieme.

Paolo

Paolo è di Sant'Arcangelo di Romagna e dei romagnoli ha il tipico accento che fa subito simpatia, l'orgoglio di appartenere alla terra felliniana e l'estro un po' folle che, unito al raziocinio delle misure catastali, lo rende un architetto elegante, moderno, mai banale e con un grande senso pratico. Ha un gusto innato per le cose belle ma funzionali, e la mia casa al mare ad Ansedonia e quella di Roma sono state ristrutturate con il suo prezioso aiuto di amico e di esperto. Adesso prova a lasciarmi, oltre a qualche "mattone", anche qualche ricetta... spero non "indigesta"!

Tempo: 20 minuti + il tempo di riposo. Numero di persone: 5. Ingredienti e quantità: 500 g di farina, 50 g di strutto, 50 ml di olio extravergine, sale, un pizzico di bicarbonato, acqua minerale frizzante; per farcire: 500 g di squacquerone, rucola fresca a piacere.

Realizzazione: Fai una fontana con la farina e poni al centro tutti gli ingredienti, impasta bene e ricava delle piccole pagnottelle. Coprile con un tovagliolo e lasciale riposare per mezz'ora. Con il matterello assottigliale fino a uno spessore di 5 mm, dando loro una forma tonda della grandezza di un grande piatto. Scalda una teglia di ghisa o una larga padella antiaderente, ponici sopra la piada, forala con i rebbi di una forchetta e, facendola ruotare di continuo, cuocila per 2-3 minuti da ciascuna parte, fino a ottenere una sottile crosticina dorata all'esterno e l'interno soffice. Taglia velocemente le piade a spicchi e servile calde farcite con squacquerone e rucola fresca.

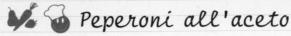

Peperoni all'aceto

(di Gianna)

Ingredienti per 4 persone: **2 peperoni gialli grossi e sodi, aceto, prezzemolo, olio extravergine, pepe, sale.** *Tempo: 30 minuti.*

Metti a bollire in una pentola acqua e aceto, in proporzione di 2 parti di acqua e una di aceto (la dose di aceto puoi variarla secondo il gusto). Nel frattempo, pulisci i peperoni asportandone il torsolo e i semi, lavali e tagliali a strisce. Quando l'acqua giunge a ebollizione, salala e butta dentro i peperoni. Lessali facendo attenzione che rimangano al dente, scolali e lasciali raffreddare. Condiscili con pepe, olio e prezzemolo fresco tritato. Servi come accompagnamento di carni bollite o di un antipasto di salumi.

Sformatini di fave

(di Marina)

Ingredienti per 4 persone: **600 g di fave fresche sgranate, 2 uova, 2 tuorli, 200 ml di panna, 20 g di pecorino romano, 30 g di burro, pepe nero, sale.** *Tempo: 40 minuti.*

Cuoci le fave in acqua in ebollizione per 5-6 minuti, scolale, lasciale intiepidire ed elimina la pellicina bianca che le riveste. Sciogli 20 g di burro in una padella, unisci le fave e una presa di sale e insaporisci per 5 minuti. Lasciale intiepidire, poi frullale con le uova, i tuorli, una macinata di pepe, la panna e il pecorino. Im-

burra 4 stampini da budino lisci della capacità di 200 ml,
riempili con il composto e trasferiscili in una teglia da
forno dai bordi alti, nella quale verserai acqua bollente fino a due terzi dell'altezza degli stampini. Metti la
teglia nel forno preriscaldato a 140°. Dopo circa 25 minuti, leva gli stampini dall'acqua, lasciali riposare per
qualche minuto, rovesciali nei piatti e sfilali delicatamente (il trucco per sformarli alla perfezione è quello di rivestirne il fondo, dopo averli imburrati, con un
dischetto di carta da forno imburrato a sua volta). Decora con qualche fava cruda tritata grossolanamente. La
ricetta si presta a essere realizzata con qualsiasi altra verdura al posto delle fave.

Sancrau 👨‍🍳

(di Rosa)

Ingredienti per 4 persone: una verza bianca da circa 1 kg,
4 filetti di acciuga sott'olio, 2 spicchi di aglio, mezzo bicchiere di aceto bianco, olio extravergine, sale.
Tempo: 60 minuti.

Taglia la verza a filetti sottili. Metti in una padella
l'olio, l'aglio tritato e le acciughe. Quando queste si
saranno sbriciolate, aggiungi i filetti di verza, il sale
e un bicchiere di acqua. Copri e fai cuocere a fiamma moderata per circa un'ora. 5 minuti prima di finire la cottura aggiungi l'aceto, mescola bene e fai evaporare. Servi caldo.

RICETTE DI CASA MIA

Toast farciti e non

Tempo: 5 minuti *Numero di persone:* 4 *Ingredienti e quantità:* 8 fette di pancarré, 100 g di prosciutto cotto, 8 sottilette, 4 carciofini sott'olio.

Realizzazione: Scola i carciofini dall'olio di conservazione, asciugali con carta da cucina e tagliali a fette non troppo sottili. Sulla piastra o sulla griglia ben calda tosta le fette di pane da un solo lato, trasferiscile sul piano di lavoro e coprine 4 con una sottiletta. Aggiungi sopra il prosciutto cotto, poi una seconda sottiletta, e solo su 2 toast anche i carciofini. Copri con le fette di pane rimaste, trasferisci i toast completi sulla piastra calda e scaldali per un minuto circa per lato, fino a che risultino ben abbrustoliti. Le varianti che ciascuno può apportare, ovviamente, sono numerosissime!

I toast erano una festa per le donne di casa Clerici. Per mia mamma, perché non doveva spadellare troppo, e per me e Cristina (con me nella foto), perché era il cibo che si mangiava con le mani, quasi come se fosse un gioco, e che potevamo arricchire a piacimento con sottaceti e carciofini. Chi invece non riusciva a essere nemmeno un po' felice era mio papà, perché i toast, insieme all'insalata e alla pizza, sono uno dei tre cibi che proprio odia.

E allora, per lui, la nostra "Serata toast" si trasformava in "Cena tonno e patate": un'insalata di patate lesse, tonno in scatola e prezzemolo, ancora adesso uno dei piatti che lo rendono più felice.

223

Insalata bis di carne

(di Maurizio)

Ingredienti per 2 persone: 4 fette di petto di pollo, una fetta di carne salada del Trentino, 5-6 pomodorini freschi, olive nere, rucola, noci, olio extravergine, pepe, sale. *Tempo: 20 minuti.*

Fai lessare il petto di pollo e, una volta freddo, riducilo a coltello in pezzi piccoli insieme alla carne salada. Aggiungi i pomodorini tagliuzzati, le olive, rucola a piacere e i gherigli di qualche noce. Condisci con pepe, sale, olio e servi.

 # Strudel di radicchio e fonduta di Asiago

(di Caterina)

Ingredienti per 4 persone: una confezione di pasta sfoglia fresca, 200 g di radicchio, 300 g di formaggio Asiago, 2 patate medie, una cipolla piccola, 30 g di burro, un uovo, 100 ml di panna da cucina, 2 cucchiai di grana grattugiato, un mestolo di brodo. *Tempo: 50 minuti + il tempo di riposo.*

Lessa le patate, sbucciale e schiacciale con una forchetta. In un tegame fai rosolare nel burro la cipolla tritata, unisci il radicchio e fallo rosolare. Bagna con il brodo, aggiungi le patate schiacciate, mescola e fai asciugare il composto. Togli dal fuoco, unisci metà del formaggio (che avrai tagliato a pezzetti), fallo sciogliere leggermente in modo che tenga unito il tutto, incorpora l'uovo e il grana. Quando il composto si è raffreddato, disponilo sulla pasta sfoglia, arrotolalo su se stesso e chiudi le estremità in modo da formare uno strudel. Cuoci in forno a 210° per 25 minuti. Nel frattempo, prepara la fonduta facendo sciogliere a fuoco lento in un tegame il restante formaggio e la panna. Lascia raffreddare per qualche minuto lo strudel, taglialo a fette e servi accompagnando con la fonduta.

Melanzane alla ligure

(di Cristina)

Ingredienti per 4 persone: 2 melanzane grandi, un uovo, pangrattato, 400 ml di passata di pomodoro, un barattolo piccolo di pesto alla genovese, parmigiano grattugiato, olio extravergine, basilico fresco, uno spicchio di aglio, sale. Tempo: 30 minuti.

In un piccolo tegame prepara un sughetto unendo la passata di pomodoro, un poco di olio, l'aglio e sale a piacere. Versa il pesto pronto in una ciotolina, aggiungi un poco di olio e mescola. Taglia a rondelle le melanzane lavate e asciugate, passale nell'uovo sbattuto e poi nel pangrattato, falle friggere in padella con abbondante olio caldo, poi asciugale con carta da cucina e disponile sul piatto di portata. Distribuisci su ciascuna rondella un poco di sughetto, un cucchiaino di pesto, una spruzzata di parmigiano e una fogliolina di basilico. Servi caldo.

Dolci

Crema di cioccolato al peperoncino

(di Cesare Marretti)

Ingredienti per 8 persone: 400 g di cioccolato fondente, 200 ml di panna fresca, un peperoncino fresco, una bustina di origano secco, 500 ml di gelato alla crema. *Tempo: 10 minuti.*

Sciogli il cioccolato dentro un pentolino insieme alla panna, poi fai freddare fino a ottenere un composto cremoso e denso. Trita il peperoncino con l'origano e amalgamalo nel cioccolato. Servi con gelato alla crema.

Pandispagna farcito con panna e frutta

(di Davide)

Ingredienti per 6-8 persone: 150 g di farina, 4 uova, 150 g di zucchero, 200 ml di panna fresca, zucchero a velo, 250 g di frutti di bosco, un baccello di vaniglia, un pizzico di sale. *Tempo: 50 minuti + il tempo di raffreddamento.*

Incidi il baccello di vaniglia nel senso della lunghezza e con un coltellino raschiane l'interno per prelevarne i semini. Rompi le uova (a temperatura ambiente) in una grande ciotola, unisci lo zucchero, i semi di vaniglia e un pizzico di sale e monta il tutto per almeno 10 minuti con un paio di fruste elettriche, fino a ottenere un composto gonfio, chiaro e spumoso. Versa la farina in un grande colino e setacciala sul composto. Incorporala mescolando con una spatola e con movimenti dal basso verso l'alto per non smontare il composto. Versa questo impasto in uno stampo a cerniera del diametro di 20 cm rivestito con carta oleata e cuoci per circa 30 minuti nel forno preriscaldato a 180°. Lascia riposare per 5 minuti, leva dallo stampo e fai raffreddare su una gratella. Taglia la torta a metà orizzontalmente, spalma la panna montata con lo zucchero a velo e cospargila di frutti di bosco. Ricomponi il dolce.

Mattonella al caffè

(di Gianna)

Ingredienti per 6 persone: 250 g di biscotti secchi, 125 g di burro, 3 cucchiai di zucchero, 3 cucchiai di cacao amaro, 2 uova, caffè forte (una caffettiera da 6 persone), 2 cucchiai di cognac. Tempo: 30 minuti + il tempo di raffreddamento.

Prepara il caffè. Mescola a lungo il burro (tolto per tempo dal frigo) con lo zucchero fino a renderlo spumoso e a ottenere una crema liscia. Aggiungi il cognac e mescola, quindi aggiungi un uovo intero e un tuorlo e mescola, aggiungi il cacao setacciato e amalgama bene la crema ottenuta. Metti in un piatto fondo il caffè tiepido e bagna appena i biscotti senza inzupparli. Stendi su un piatto uno strato sottile di crema, adagiaci sopra uno strato di biscotti formando un rettangolo, copri con crema e con un altro strato di biscotti e prosegui fino a esaurimento degli ingredienti. Alla fine spalma la crema anche sui lati del mattone. Se piace, puoi coprire con codette zuccherate colorate. Metti in frigo e servi tagliato a cubi.

Torta facile di carote

Sono sempre stata gelosissima di questa ricetta.
Mi è stata data da un'anziana signora inglese,
me l'hanno chiesta molte volte, però con una scusa
o con l'altra non l'ho mai svelata a nessuno!
Ma per Anto...! Il risultato è una torta morbida,
leggera, genuina, gustosissima. Un po' come lei!

Cristina

Più che la mia assistente, Cristina è la mia amica 12 ore su 24. Difficile distinguere tra il lavoro e l'affetto vero. Abbiamo la stessa età e tante cose in comune: l'estrazione sociale, una mamma tanto presente mancata un po' troppo giovane, una figlia avuta verso i quarant'anni... Tra noi non abbiamo bisogno di tante parole, ci basta uno sguardo! Cristina, per regalarmele, ruba le ricette al suo mitico papà Didì, che ha superato gli ottanta ma di spirito ne ha venti!

Tempo: 45 minuti Numero di persone: 4-5 Ingredienti e quantità: 3 uova, 250 ml di olio extravergine, 230 g di zucchero di canna, 185 g di farina autolievitante, un cucchiaino di bicarbonato, 2 cucchiaini di cannella in polvere, 250 g di carote grattugiate, sale, zucchero a velo.

Realizzazione: Unisci tutti gli ingredienti in una terrina capiente e lavorali con una frusta elettrica finché il composto non risulta omogeneo. Incorpora per ultime le carote grattugiate e amalgama il tutto. Versa il composto in una teglia e inforna per 45 minuti circa nel forno preriscaldato a 180°. Controlla la cottura con uno stuzzicadenti, e quando la torta è pronta mettila sul piatto di portata e cospargila di zucchero a velo.

Panna cotta al cocco con carpaccio di ananas

(di Paolo Zoppolatti)

Ingredienti per 4 persone: 125 ml di latte di cocco, 125 ml di panna fresca, 40 g di zucchero, un foglio di colla di pesce da 5 g, un baccello di vaniglia, ananas fresco.

Tempo: 25 minuti + il tempo di riposo.

Scalda a bagnomaria in una casseruola la panna, il latte di cocco e metà dello zucchero. Ammolla la colla di pesce in acqua fredda e, dopo averla strizzata, uniscila al composto, mescola e versa in 4 stampini. Falli raffreddare coperti in frigorifero. In una piccola casseruola fai bollire in un bicchiere di acqua, insieme allo zucchero rimanente, il baccello di vaniglia inciso per lungo. Lascia raffreddare e versa su 4 fette sottili di ananas. Servi mettendo sul fondo le fette di ananas, su ciascuna una panna cotta e come guarnizione il ciuffo verde del frutto.

Dolce di Amalfi

(di Sal De Riso)

Ingredienti per 6 persone: 160 g di zucchero a velo, 130 g di burro morbido, 3 uova, 100 ml di latte, 100 g di mandorle pelate, 80 g di farina, 50 g di fecola di patate, 2 limoni non trattati, un baccello di vaniglia, 60 g di scorza di limone candita, 5 g di lievito in polvere per dolci, un pizzico di sale, farina di mais. *Tempo:* 75 minuti.

Con le fruste elettriche, monta a crema il burro con lo

zucchero in una ciotola capiente. Unisci la scorza dei limoni grattugiata, il sale, i semi contenuti nella bacca di vaniglia e la scorza di limone candita finemente tritata. Incorpora le uova tenute a temperatura ambiente, una per volta, emulsionando con le fruste elettriche a bassa velocità. A parte, setaccia prima la farina con la fecola, poi il lievito, infine aggiungi le mandorle dopo averle ridotte quasi in polvere nel mixer. Al composto amalgama a poco a poco il latte tenuto a temperatura ambiente, alternandolo alla miscela di farine, lievito e mandorle. Versa l'impasto in uno stampo semisferico di 18 cm di diametro imburrato e infarinato con farina di mais. Metti per circa un'ora nel forno preriscaldato a 160°. Lascia raffreddare, ma sforma su un piatto di portata quando la torta è ancora tiepida. Poco prima di servire, spolvera con zucchero a velo.

Spumiglie

(di zia Mariangela)

Ingredienti: 3 albumi, 180 g di zucchero. Tempo: 70 minuti + il tempo di riposo.

Monta a neve gli albumi e quando il tutto è solido versa a pioggia lo zucchero, incorporandolo delicatamente. Aiutandoti con un cucchiaino da tè, disponi tutto il composto sulla carta oleata formando delle gocce. Metti a cuocere in forno a 110° per circa un'ora, poi lascia riposare per un'altra ora a forno spento.

Triangoli di ricotta e marmellata

(di Paula)

Ingredienti per 6-8 persone: 200 g di burro morbido, 200 g di ricotta, 260 g di farina, marmellata, zucchero a velo.
Tempo: 50 minuti + il tempo di raffreddamento.

Monta a crema il burro morbido con la ricotta. Aggiungi la farina setacciata e lavora fino a ottenere un impasto liscio. Forma una palla e metti a raffreddare in frigorifero per almeno mezz'ora. Poi tira una sfoglia sottile e ritaglia dei quadrati di 10 cm per lato. Disponi un cucchiaino di marmellata al centro e ripiega il quadrato su se stesso, facendo combaciare gli angoli opposti per ottenere un triangolo. Sigilla bene i bordi e cuoci in forno preriscaldato a 170° per 20-25 minuti. Lascia intiepidire 5 minuti e servi spolverizzando di zucchero a velo.

Dolce di polenta

(di Maria e Giulio)

Ingredienti per 4-6 persone: 200 g di farina di mais, 800 ml di latte, 4 mele, 4 cucchiai di miele o di sciroppo di acero, 100 g di uva passa, un bicchiere di olio extravergine, mandorle, pinoli, zucchero a velo. Tempo: un'ora e 30 minuti.

Fai tostare i pinoli in una padella e metti l'uva passa ad ammollare in acqua fredda. Prepara la polenta con la farina e il latte, facendo cuocere per circa 20 minuti. Aggiungi l'olio, il miele (o lo sciroppo di acero), le mele affettate, le mandorle tritate, i pinoli e l'uva passa. Versa il composto in una teglia e passa nel forno a 150° per circa un'ora.

Mousse al cioccolato bianco con le fragole

(di Martino Scarpa)

Ingredienti per 4 persone: 100 ml di panna fresca, 30 g di zucchero, 280 g di cioccolato bianco tagliato a scaglie, 8 g di colla di pesce, 480 ml di panna semimontata, 250 g di fragole, un limone. *Tempo:* 40 minuti + il tempo di riposo.

Fai bollire la panna con 20 g di zucchero, quindi aggiungi la colla di pesce (precedentemente ammollata in acqua fredda e strizzata) e il cioccolato. Mescola bene il tutto, poi fai raffreddare finché non è tiepido. Incorpora la panna semimontata e mescola lentamente dall'alto verso il basso. Riempi 4 coppette con questa mousse e falle riposare in frigorifero per almeno 90 minuti. Nel frattempo taglia le fragole a cubetti, condiscile con succo di limone e il resto dello zucchero e lasciale macerare in frigorifero per almeno 20 minuti. Quando la mousse si sarà rappresa, coprila con le fragole macerate e servila fresca. Questa mousse può essere preparata anche il giorno prima e dura fino a 5 giorni in frigorifero (in questo caso però è importante coprire le coppette con la pellicola).

Torta di mandorle

Tempo: 60 minuti Numero di persone:
6 Ingredienti e quantità: 70 g di
farina, 170 g di zucchero, 50 g di mandorle in polvere,
150 g di burro, un uovo, 2 tuorli, sale.
Realizzazione: Riunisci l'uovo e i tuorli in una ciotola, aggiungi lo zucchero e monta con una frusta fino
a ottenere un composto chiaro e spumoso. Aggiungi
il burro molto morbido a pezzetti, un pizzico di sale,
le mandorle e la farina setacciata e amalgama il tutto. Versa l'impasto in uno stampo a cerniera del diametro di 18 cm rivestito con carta oleata e cuoci in
forno preriscaldato a 150° per 35-40 minuti. Lascia
riposare la torta per 5 minuti, levala dallo stampo e
falla raffreddare su una gratella da pasticceria.

Questa era la torta che a casa mia mangiavamo a colazione, bellissimo momento che nella mia famiglia si viveva tutti insieme, tutti i giorni. Ci trovavamo intorno al tavolo, ancora un po' addormentati, ci raccontavamo piccole cose della quotidianità. Ognuno prendeva una fetta di torta, la inzuppava nel latte sapendo di poterla lasciare non più di una decina di secondi e la raccoglieva con il cucchiaio prima che si sbriciolasse completamente. A descrivere quei momenti ne sento ancora il sapore. Chi l'avrebbe detto che il pensiero di una torta che "tien bene l'ammollo" mi avrebbe commossa così tanti anni dopo?

237

Budino di nonna Lina

(di Gianna)

Ingredienti per 6-8 persone: 1 l di latte, 100 g di farina, 100 g di burro, 100 g di zucchero, 100 g di cacao amaro, cognac. *Tempo:* 30 minuti + il tempo di riposo.

In una ciotola amalgama bene lo zucchero e il cacao con il latte tenuto a temperatura ambiente. In un pentolino amalgama la farina con il burro con l'aiuto di un cucchiaio di legno, poi versavi il latte a filo, badando a non formare grumi. Cuoci il composto a fuoco basso, mescolando in continuazione con un cucchiaio di legno, porta a ebollizione e lascia bollire per 5-6 minuti, sempre mescolando. Metti in una ciotola capiente un poco di cognac, poi versaci il composto dentro. Fai raffreddare in frigorifero e, al momento di servire, rovescia il budino su un piatto e taglia a fette. Se non piace il gusto amaro, si può servire ingentilito con un cucchiaio di panna montata o di gelato alla panna.

 # Tortine al cioccolato

(di Cristina)

Ingredienti per 6 persone: 150 g di burro, 125 g di cioccolato fondente, 3 uova, 375 g di zucchero, 125 g di farina, 50 g di cacao amaro in polvere, 850 ml di gelato alla vaniglia, 5 gocce di essenza di vaniglia. *Tempo:* 50 minuti + il tempo di riposo.

Imburra e fodera con carta da forno una teglia da 28 x 18

cm a bordi alti. Mescolando costantemente, sciogli a bagnomaria il burro e il cioccolato ridotto a pezzetti, poi
lascia raffreddare la crema a temperatura ambiente. In una
terrina amalgama le uova, lo zucchero e l'essenza di vaniglia. Incorpora la crema di cioccolato e burro, poi la
farina e il cacao, e mescola con cura. Versa il composto
nella teglia e cuocilo per 40 minuti nel forno preriscaldato a 180°. Lascia raffreddare e metti in frigorifero per un'ora. Sforma il dolce, ponilo sul piano di lavoro e, con l'aiuto di uno stampo o di una tazza, ricavane 6 tortine rotonde. Mettile su altrettanti piattini e
distribuisci su ognuna 3 palline di gelato alla vaniglia.
Spolverizza con cacao in polvere prima di servire. Se piace, puoi accompagnare con panna montata.

Albicocche alla piastra

(di Cesare Marretti)

Ingredienti per 4 persone: 12 albicocche, 100 g di zucchero, un bicchiere di vino bianco, una scorza di limone non
trattato, un mazzetto di timo, un mazzetto di menta fresca, gelato alla vaniglia o alla crema. *Tempo:* 10 minuti.
Dividi le albicocche a metà e snocciolale. Metti un pentolino sul fuoco con lo zucchero e il vino bianco. Fai caramellare, aggiungi le albicocche, le erbe aromatiche e
la scorza di limone. Fai riprendere il bollore e servi sul
piatto accompagnando con gelato a parte. Se piace, puoi
innaffiare con birra analcolica.

Crostata sprint di marmellata

(di Marina)

Ingredienti per 6 persone: 250 g di farina, un vasetto di marmellata, 100 g di burro, 40 g di zucchero, un uovo, un tuorlo, un limone non trattato, sale. *Tempo:* 50 minuti + il tempo di riposo.

Versa la farina nel mixer, unisci lo zucchero, la scorza del limone grattugiata e un pizzico di sale e fai funzionare l'apparecchio con la lama di acciaio fino alla formazione di un composto sabbioso a piccole briciole. Mentre il mixer è in movimento unisci l'uovo e il tuorlo, e arrestalo appena l'impasto prende la forma di una palla. Avvolgilo nella pellicola per alimenti e lascia riposare per circa 30 minuti. Infarina leggermente il piano di lavoro, stendi l'impasto fino a ottenere una sfoglia spessa 3-4 mm e trasferiscila in uno stampo da crostata antiaderente con il fondo staccabile del diametro di 22 cm. Taglia via la pasta eccedente, stendila nuovamente su un foglio di carta da forno, ricavane delle strisce larghe circa 1 cm e trasferisci in freezer per 5 minuti. Nel frattempo, bucherella con una forchetta la pasta sul fondo dello stampo, diluisci la marmellata con il succo filtrato del limone e cospargila sulla pasta. Stendi le strisce di pasta frolla sulla superficie della marmellata, incrociandole a grata e saldandole con la pasta del bordo. Cuoci la crostata nella parte bassa del forno a 180° per circa 30 minuti o fino a quando diventa dorata. Lascia riposare per 10 minuti, leva dallo stampo e fai raffreddare su una gratella da pasticceria. Per una crostata più croccante, sostituisci metà della farina con farina di riso.

Crème caramel

(di Simone e Mita)

Ingredienti per 6 persone: 2 uova, 4 tuorli, 230 g di zucchero, 500 ml di latte, un baccello di vaniglia, succo di limone. *Tempo:* 60 minuti + il tempo di riposo.

Metti 100 g di zucchero, 4 cucchiai di acqua e qualche goccia di limone in un pentolino dal fondo pesante e cuoci mescolando con un cucchiaio di legno fino a ottenere un caramello dorato. Distribuiscilo in 6 stampini da crème caramel in modo che il fondo ne sia coperto. Metti il latte in un pentolino, aggiungi 130 g di zucchero e il baccello di vaniglia aperto e porta lentamente a bollore. Spegni la fiamma e lascia in infusione per 10 minuti. Sbatti le uova e i tuorli, quindi incorpora al latte, a filo e sempre mescolando, fino a ottenere una crema liscia. Versa la crema negli stampini, riempiendoli fino all'orlo, e disponili in una pirofila riempita di acqua calda fino a metà della loro altezza. Cuoci a bagnomaria nel forno preriscaldato a 160°, per circa 35 minuti o fino a quando la crema non è ben rappresa, badando a non far bollire l'acqua. Lascia poi intiepidire le crème caramel, coprile e trasferiscile in frigorifero per circa 5 ore. Sformale poco prima di servire.

Crostata ricotta e cacao

(di Annalisa)

Ingredienti per 8 persone: per la pasta frolla: un uovo, 3 tuorli, 400 g di farina, 200 g di burro, 100 g di zucchero, scorza di un limone grattugiata; per il ripieno: 500 g di ricotta di pecora, 3 tuorli, 4-5 cucchiai di zucchero, 2-3 cucchiai di cacao amaro in polvere, canditi, un cucchiaino di cannella. *Tempo:* 40 minuti + il tempo di riposo.

Prepara la pasta frolla incorporando il burro morbido a pezzetti nella farina e lavorandoli finché si uniscono. Disponi l'impasto a fontana, metti al centro lo zucchero, le uova e il limone grattugiato e impasta senza lavorare troppo. Lascia riposare per 30 minuti. Nel frattempo, prepara il ripieno mescolando in una terrina la ricotta, i tuorli, lo zucchero e il cacao setacciato. Aggiungi i canditi e la cannella. Stendi ora in maniera uniforme la pasta frolla in una teglia imburrata e infarinata, aggiungi il composto di ricotta e guarnisci con strisce di pasta frolla avanzate. Inforna a 180° per 20-25 minuti. Servi la crostata coperta di zucchero a velo.

 # Coppa croccante con yogurt e frutta

(di Patrizia)

Ingredienti per 4 persone: 500 ml di yogurt bianco, 100 g di muesli croccante, una banana, un cestino di lamponi, un cestino di mirtilli, 2 cucchiaini di miele di acacia. *Tempo:* 5 minuti.

Versa lo yogurt in una ciotola, unisci il miele e mescola per amalgamare. Lava i mirtilli e i lamponi e asciugali su carta da cucina. Sbuccia la banana e tagliala a pezzetti. Versa la frutta in 4 grandi coppe, coprila con lo yogurt, completa con il muesli e servi subito. Puoi usare qualunque altro tipo di frutta e, se piace, completare con una spruzzata di cannella. Al posto del muesli puoi scegliere un altro cereale da prima colazione.

Pane e cioccolata

(di Paolo Zoppolatti)

Ingredienti per 4 persone: un panino al latte tipo filoncino, 200 g di cioccolato fondente al 55% o al latte, 50 g di biscotti, una vaschetta di lamponi e more, 50 ml di panna fresca, zucchero a velo. *Tempo:* 15 minuti + il tempo di riposo.

Taglia le due estremità al panino, svuotane l'interno aiutandoti con un coltellino e un cucchiaino, e tosta in forno per 10 minuti. Fai bollire la panna e amalgamala al cioccolato spezzettato e sciolto a bagnomaria fino a ottenere una crema liscia e lucida. Lascia che riprenda consistenza e unisci i biscotti sbriciolati grossi. Farcisci il panino, chiudilo con la pellicola e mettilo a raffreddare. Prepara degli spiedini di frutti di bosco e servili spolverati di zucchero a velo con le fette di panino farcito. Le fette, tostate leggermente, possono anche essere servite in una zuppetta di frutti di bosco o nella cioccolata calda.

Dedico ad Antonella la torta
caprese, un dolce che le piace
tantissimo. Semplice, adatto a una
persona frenetica come lei.
La immagino durante il giorno, di
corsa, impegnata tra le sue tante cose,
mentre passa in cucina e, a piccole
fette, si addolcisce il cuore e la mente.
Cara Antonella, non preoccuparti
se non hai tempo per prepararla:
ti arriverà dalla Costa d'Amalfi,
direttamente dal mio laboratorio,
con l'affetto di sempre e la passione
che ci unisce per la buona cucina.

Salvatore De Riso

RICETTE DELLO CHEF

Torta caprese

Tempo: 60 minuti + il tempo di riposo **Numero di persone:** 6

Ingredienti e quantità: 100 g di burro morbido, 85 g di zucchero a velo, 2 uova, 35 g di zucchero semolato, 15 g di cacao amaro in polvere, 4 g di lievito in polvere per dolci, 125 g di mandorle sgusciate e tostate, 25 g di fecola di patate, 100 g di cioccolato fondente al 55%.

Realizzazione: In un robot da cucina riduci in polvere le mandorle e il cioccolato fondente spezzettato, versa in una ciotola e unisci la fecola e il lievito setacciato. In una terrina monta il burro con lo zucchero a velo, unisci i tuorli uno per volta e amalgama gradualmente con la miscela di polveri preparata. Monta a neve gli albumi con lo zucchero semolato e con gesti delicati incorporali al composto. Versa il composto in uno stampo del diametro di 22 cm, imburrato e infarinato con la fecola di patate. Inforna a 160° per 45 minuti. Dopo la cottura, lascia la torta nello stampo fino a quando sarà tiepida. Sformala, lasciala raffreddare per bene e decorala con zucchero a velo.

# Dolcetti di avena

(di Barbara)

Ingredienti per 4 persone: 300 g di fiocchi di avena, 100 g di farina integrale, 4 cucchiai di olio di mais, mezzo bicchiere di sciroppo di acero o 3 cucchiai di miele, 3 cucchiai di uva passa, 50 g di noci, sale. *Tempo:* 30 minuti.

Fai tostare in padella i fiocchi di avena senza farli bruciare. Mescolali con la farina, aggiungi un pizzico di sale e l'olio e amalgama. Unisci lo sciroppo di acero, l'uva passa (precedentemente ammollata in acqua e strizzata) e i gherigli sbriciolati e mescola il tutto. Se necessario, aggiungi acqua per ammorbidire. Con l'impasto forma delle palline, adagiale su una piastra imburrata e fai cuocere per 20 minuti in forno preriscaldato a 200°.

Mousse al cioccolato amaro

(di Paula)

Ingredienti per 6-8 persone: 200 g di cioccolato fondente, 4 uova, 40 g di burro, un pizzico di sale. *Tempo:* 20 minuti + il tempo di riposo.

Rompi le uova tenute a temperatura ambiente, separa gli albumi e aggiungi il sale. Trita finemente il cioccolato, trasferiscilo in una ciotola di pyrex (o di acciaio) insieme al burro a dadini e ponilo sopra una pentola con poca acqua in leggera ebollizione (fai attenzione che il fondo del contenitore non tocchi l'acqua, altrimenti il cioccolato potrebbe bruciarsi e diventare inutilizzabile). Quando cioccolato e burro sono completamente sciolti, lasciali intiepidire e aggiungi i tuorli, uno alla volta, mescolando in continuazione. A parte, monta gli albumi con un paio di fruste elettriche fino a ottenere una meringa morbida e amalgama al composto di cioccolato, mescolando per mezzo di una spatola con movimenti dal basso verso l'alto. Suddividi in 6 coppette e lascia riposare coperto, in frigorifero, per almeno 6 ore. Per una mousse meno corposa puoi omettere il burro e dimezzare il numero dei tuorli. Per incrementare il sapore di cioccolato puoi usare una tavoletta con una percentuale di cacao superiore al 70%.

Tarte tatin alle mele

(di Daniela)

Ingredienti per 4-6 persone: 6-8 mele renette, 100 g di burro, 100 g di zucchero, una confezione di pasta sfoglia, cannella. Tempo: 45 minuti.

In un pentolino sciogli a fuoco dolce il burro con lo zucchero e fallo caramellare. Versa il caramello in una teglia del diametro di 24 cm (diventerà solido rapidamente ma in forno si scioglierà di nuovo) e sopra appoggiaci le mele sbucciate e tagliate a fettine. Cospargi tutto con un velo di cannella e copri con la pasta sfoglia. Metti nel forno a 200° per 30 minuti, poi sforna, capovolgi la tarte tatin su un piatto e servi tiepida. A tuo piacimento puoi guarnirla con panna montata, gelato o marmellata.

Tegliette di frutta

Abbiamo condiviso momenti bellissimi: le vacanze, la gravidanza, il battesimo e i compleanni dei nostri bambini. È come una sorella che posso sempre chiamare, certa di ricevere consigli e sentire la frase "ascolta la tua amica Antonella che potrebbe essere tua mamma". Ti voglio bene Anto!

Eleonora

Eleonora è una giovane e recente amica, mamma di Noah e moglie di un calciatore congolese-belga, come Eddy, nonché padrino di battesimo di Maelle. Lei biondissima con la pelle color latte e lui color ebano, sono una coppia cresciuta insieme e che è simbolo della nuova società multietnica che ci attende.

Tempo: 30 minuti Numero di persone: 4 Ingredienti e quantità: una confezione di pasta sfoglia quadrata o rettangolare, 4 cucchiai di marmellata di pesche, 2 pesche mature, zucchero a velo.

Realizzazione: Taglia la pasta sfoglia in 4 rettangoli di 8 X 12 cm e appoggiali su una placca coperta di carta da forno. Spennellali con la marmellata. Taglia le pesche a spicchi sottili e disponile sulla pasta sovrapponendole leggermente e facendo in modo che rimanga tutt'attorno un bordino libero. Ricava delle striscioline sottili dai ritagli di pasta e disponile sui bordi. Metti per 20 minuti in forno preriscaldato a 180°. Sforna, cospargi di zucchero a velo, lascia intiepidire e servi su un piatto.

Gelato, mele e pepe

(di Valentina)

Ingredienti per 3 persone: 3 mele, mezza vaschetta di gelato alla crema, pepe nero in grani. *Tempo:* 15 minuti.
Sbuccia le mele ed elimina il torsolo, poi cuocile in un pentolino con un po' d'acqua: quando la forchetta entrerà bene nel frutto saprai che sono pronte. Disponi le mele ancora ben calde in 3 coppette ampie e servi con una pallina di gelato e una spolverata di pepe macinato sul momento.

Quasi un tiramisù

(di Paula)

Ingredienti per 4 persone: 8 biscotti di riso, 300 g di ricotta cremosa, un bicchiere di caffè, un cucchiaio colmo di zucchero a velo, 20 g di cioccolato fondente. *Tempo:* 20 minuti + il tempo di riposo.
In una ciotola lavora la ricotta e lo zucchero con un cucchiaio di legno per circa 5 minuti, fino a renderla cremosa. Immergi 4 biscotti nel caffè, lasciali imbevere e adagiali sul fondo di 4 bicchieri. Stendi sopra uno strato di crema di ricotta, quindi ripeti il passaggio con i biscotti e la ricotta restanti. Cospargi infine di cioccolato grattugiato a fori medi o tritato finemente con un coltello e lascia riposare in frigorifero per almeno un'ora. Per una variante primaverile, sostituisci il caffè con fragole frullate insieme a poco zuc-

chero e succo di limone, ottenendo una salsa in cui intingere i biscotti.

Crema all'arancia, rum e cioccolato fondente

(di Renato Salvatori)

Ingredienti per 6 persone: 1 l di latte, 7 tuorli, 7 cucchiai rasi di zucchero, 7 cucchiai di farina, 200 g di cioccolato fondente, una bustina di vanillina, un bicchierino di rum, un'arancia grande non trattata. *Tempo:* 25 minuti.

Metti in una ciotola grande i tuorli e lo zucchero, mescola con una frusta fino a ottenere un composto cremoso, poi unisci poco per volta la farina e amalgama bene insieme alla vanillina. Metti il latte in un pentolino a fuoco medio e ai primi cenni di bollore toglilo dal fuoco e lascialo intiepidire. Versalo attraverso un colino nel composto di uova e gira energicamente con la frusta per amalgamare bene e formare una crema soffice. Lava l'arancia, asciugala, grattugiane la scorza nella crema, unisci il rum, mescola ancora con la frusta e amalgama bene. Versa la crema in 6 coppe, lascia raffreddare e prima di servire coprila con il cioccolato a scaglie.

Anguria per i bambini

(di Cesare Marretti)

Ingredienti per 4 persone: 4 fette di anguria, un limone, zucchero a piacere. *Tempo:* 5 minuti.

Elimina la buccia dell'anguria, frulla la polpa di 2 fette nel mixer e filtrane il succo con un colino. Taglia la polpa delle altre 2 a dadi e condiscila con il succo di limone, zuccherando a piacere. Versa il succo in 4 bicchieri e completa con l'anguria a dadi infilzata su spiedini colorati.

 # Torta di mele

(di Patrizia)

Ingredienti per 6 persone: 5 mele golden delicious, 5 cucchiai di farina, 5 cucchiai di zucchero, 4 uova, 8 g di lievito vanigliato in polvere (mezza bustina), 5 cucchiai di olio di semi o di riso, 5 cucchiai di vino passito, un pizzico di sale. *Tempo:* 60 minuti + il tempo di riposo.

Sbuccia le mele, elimina i torsoli e tagliale a fettine sottili. Riuniscile in una grande ciotola, bagnale con il vino e lasciale insaporire. In un'altra ciotola rompi le uova, unisci il sale, 4 cucchiai di zucchero, la farina setacciata, il lievito e l'olio e mescola con una frusta fino a ottenere un impasto omogeneo. Aggiungi le mele, amalgama mescolando delicatamente e trasferisci il composto in uno stampo del diametro di 20 cm rivestito con carta da forno. Spolverizza con lo zucchero rimasto e cuoci per 20 minuti in forno preriscaldato a 180° e per altri 20 a 200°. Lasciala riposare per 5 minuti, toglila dallo stampo e falla raffreddare su una gratella da pasticceria. Se piace, puoi aggiungere all'impasto 50 g di uva passa (prima ammorbidita in acqua tiepida per 10 minuti, scolata e strizzata), o un cucchiaino di scorza grattugiata di un limone non trattato; inoltre puoi scegliere di eliminare il vino.

Torta di nocciole con Nutella

(di Rossella)

Ingredienti per 6 persone: 250 g di nocciole pelate e tostate, 120 g di zucchero, 4 uova, 2 albumi, 200 g di Nutella, un pizzico di sale. *Tempo:* 50 minuti.

Trita finemente le nocciole nel mixer con un cucchiaio di zucchero. Separa i tuorli dagli albumi, riunisci i primi in una ciotola con lo zucchero rimasto e un pizzico di sale e monta gli ingredienti con una frusta elettrica fino a ottenere un composto chiaro e spumoso. Unisci le nocciole tritate, monta gli albumi con un pizzico di sale e amalgamali delicatamente all'impasto, mescolando con una spatola e con movimento dal basso verso l'alto. Versa il composto in uno stampo a cerniera del diametro di 20 cm rivestito con carta oleata e cuoci la torta in forno preriscaldato a 180° per circa 40 minuti. Lasciala intiepidire, toglila dallo stampo e trasferiscila su una gratella da pasticceria. Quando si è raffreddata, tagliala in 2 strati, farciscila con abbondante Nutella, ricomponi il dolce e decora a piacere.

Mandorle caramellate

Antonella, sei una frana in cucina! "Ti mando dalla zia Tata a imparare a cucinare" diceva tua mamma tanto tempo fa. Oggi sarebbe orgogliosa di te, oltre ad avere imparato hai la sensibilità di fare amare quest'arte. Ho scelto per il tuo libro ricette dolci perché rispecchiano la tua infinita dolcezza. Ti voglio bene

zia Mariangela

Zia Mariangela è la sorella più piccola di mia madre: per me, da sempre, la mia "Tata". Da giovane era una gran bella gnoccolona (tanto per usare un termine culinario!) e anche adesso è una zia molto chic ma poco snob, una vera signora. Non ha mai lavorato, ma questo le ha consentito di essere una grande madre per i suoi figli, Stefano e Lorenzo (i miei cugini!), che la adorano, e una fantastica moglie per mio zio Cesare, che se n'è andato troppo giovane, proprio come la mia mamma. Erano una bellissima coppia in tutti i sensi, e così mia zia pensò di prenderlo per la gola imparando a cucinare in grande stile, e anche a ricevere con classe. I suoi addobbi natalizi sono mitici! Ho anche un'altra zia sorella di mia mamma, Gabriella, che però è negata in cucina, adora mangiare le schifezze e detesta i formaggi, cosa che per me è incomprensibile!

Tempo: 15 minuti Numero di persone: 4 Ingredienti e quantità: 3 bicchieri di mandorle sgusciate e non spellate, 1,5 bicchieri di zucchero, 1,5 bicchieri di acqua.

Realizzazione: Cuoci a fiamma vivace in una pentola tutti gli ingredienti. Mescola in continuazione con un cucchiaio di legno fino a quando le mandorle si separano l'una dall'altra e si rivestono di zucchero caramellato. Togli brevemente dal fuoco continuando a mescolare, poi rimetti sul fuoco e non smettere di mescolare finché non diventano lucide. Versale su un tagliere grande e lasciale raffreddare senza toccarle con le mani.

Biscotti alla farina di cocco

(di zia Mariangela)

Ingredienti: 250 g di farina di cocco, 200 g di zucchero, 25 g di farina, 3 uova. *Tempo:* 25 minuti.

Sbatti le uova con lo zucchero, aggiungi le 2 farine e mescola con la frusta. Con le mani forma degli ovetti e adagiali direttamente sulla piastra del forno. Cuocili a 180° per 15 minuti, controllando che rimangano dorati senza scurirsi. Fai raffreddare e servili freddi.

 # Tartellette con frutti di bosco

(di Mauro Improta)

Ingredienti per 6 persone: 400 g di pasta frolla, 200 g di frutti di bosco, 150 g di zucchero semolato, 500 ml di latte, 400 ml di panna montata, 4 tuorli, 2 fogli di colla di pesce, un baccello di vaniglia, menta fresca, zucchero a velo. *Tempo:* 40 minuti.

Metti la colla di pesce a bagno in acqua fredda. Scalda il latte sul fuoco con i semi estratti dal baccello di vaniglia. Lavora i tuorli con lo zucchero semolato in una bastardella finché non diventano chiari, poi versa a filo il latte tiepido, mescolando. Trasferisci la bastardella in una casseruola con poca acqua in leggera ebollizione e cuoci la crema a bagnomaria per 7-8 minuti. Strizza la colla di pesce, uniscila al composto, mescola fino a che si è sciolta, lascia raffreddare, quindi incorpora la panna montata. Stendi la pasta frolla e fodera 12 stampini da tartelletta, coprili con

carta da forno e fagioli secchi e inforna per 10 minuti a 170°.
Poi sforna, togli fagioli e carta e farcisci le tartellette
con la crema. Decora con i frutti di bosco, spolvera di zucchero a velo e profuma con menta fresca.

Gelato mantecato

(di Rossella)

Ingredienti: una vaschetta di gelato al fior di latte, 2
cucchiai di caffè macinato, 2 cucchiai di cognac, lingue
di gatto. *Tempo:* 10 minuti.

Togli dal freezer il gelato e fallo ammorbidire qualche
minuto. Mettilo in una ciotola grande con il caffè macinato e il cognac e lavoralo con un cucchiaio di legno finché
il composto non raggiunge una consistenza spumosa. Servi
il gelato in coppette singole con un paio di biscottini.

Biscottini leggeri
con gocce di cioccolato

(di Paolo)

Ingredienti per 6 persone: 300 g di farina per dolci, un uovo,
80 g di zucchero, 50 g di burro, scorza di limone grattugiata, un pizzico di lievito vanigliato in polvere, un pizzico
di sale, 125 g di gocce di cioccolato. *Tempo:* 30 minuti.

Fai una fontana con la farina sulla spianatoia e disponi al
centro tutti gli ingredienti. Impasta, ricava un rotolo e
taglialo a fette molto sottili. Poggiale su una teglia coperta di carta da forno e inforna a 170° per 15 minuti.

RICETTE DI CASA MIA

Plum cake

Tempo: 65 minuti *Numero di persone:* 6 *Ingredienti e quantità:* 160 g di farina, 125 g di zucchero, 2 uova, 125 g di burro, 60 g di uva passa, 60 g di canditi misti, un cucchiaio di rum, 4 g di lievito vanigliato in polvere, un limone non trattato, un pizzico di sale.

Realizzazione: Metti l'uva passa a bagno nel rum per un'ora. Monta il burro con lo zucchero fino a ottenere una crema soffice e spumosa, unisci la scorza grattugiata di mezzo limone grattugiata e mescola. Incorpora le uova, uno alla volta, alternando con un cucchiaio di farina. Setaccia insieme al lievito la farina rimasta, uniscila all'impasto con l'uva passa sgocciolata e i canditi e amalgama. Rivesti con carta da forno uno stampo da plum cake da 750 g, riempilo con l'impasto e livella. Cuoci in forno preriscaldato a 180° per circa 45 minuti. Sforna, lascia riposare per 5 minuti, leva dallo stampo e fai raffreddare su una gratella da pasticceria.

Questo dolce credo sia stato quasi una sfida per mia mamma. Inizialmente papà lo comprava tutte le domeniche in pasticceria, poi lei deve aver pensato che poteva farlo da sé. Così si è armata di ricetta, ingredienti e stampo rettangolare ed è partita per una nuova avventura culinaria. Dopo poche prove, il suo plum cake ha cominciato a essere davvero buono e quindi a diventare "il" nostro dolce della domenica. Anche i londinesi avrebbero apprezzato! Con un po' di disappunto del pasticciere, che si è trovato con un cliente in meno ogni domenica...

259

🍲 Crème brûlée

(di Rossella)

Ingredienti per 4 persone: 250 ml di panna fresca, 250 ml di latte, 110 g di zucchero, 5 tuorli, un baccello di vaniglia.
Tempo: 45 minuti + il tempo di raffreddamento.

Versa il latte e la panna in una casseruola, unisci il baccello di vaniglia inciso nel senso della lunghezza e 40 g di zucchero. Scalda il composto su fiamma bassa e, quando sta per bollire, spegni, copri e lascia in infusione per 5 minuti. Monta leggermente i tuorli con 30 g di zucchero, unisci il composto di latte versandolo a filo ed elimina la vaniglia. Suddividi in 4 pirofile per crème brûlée da una porzione e cuoci per 30-35 minuti in forno preriscaldato a 130°. Lascia raffreddare e trasferisci in frigorifero per almeno 6 ore. Al momento di servire, cospargi la superficie con lo zucchero rimasto e brucialo rapidamente con l'apposito cannello o con l'apposita piastra di ferro o sotto il grill del forno. Lascia raffreddare e servi. Puoi variare l'aroma della crema sostituendo la vaniglia con scorza non trattata di limone o di arancia, chicchi di caffè pestati o cannella.

Torta cocco e pere

(di Patrizia)

Ingredienti per 6-8 persone: 350 g di farina, 250 g di zucchero, 3 uova, una bustina di lievito per dolci, 100 g di burro, 60 g di polvere di cocco, 3 pere williams. Tempo: 50 minuti.

Accendi il forno a 180°. In un padellino fai fondere a fuoco basso il burro. Intanto, in una ciotola sbatti le uova con lo zucchero; in un'altra ciotola versa la farina e il lievito setacciati. Aggiungi il composto di uova e zucchero, il burro fuso e mescola bene. Aggiungi la polvere di cocco e le pere sbucciate e tagliate a dadini. Se il composto ti sembra un po' solido prima di aggiungere le pere, non ti preoccupare perché le pere rilasceranno il loro succo rendendo l'impasto morbido e la torta deliziosa. Versa il composto in una teglia rotonda precedentemente imburrata e infarinata oppure foderata con carta da forno, liscia leggermente la superficie e fai cuocere in forno a 180° per 30 minuti.

Ciambellone della nonna

(di Simone e Mita)

Ingredienti per 6 persone: 360 g di farina, 3 uova, 160 g di zucchero, 160 g di burro, un bicchiere di latte, una bustina di lievito vanigliato in polvere, zucchero a velo. Tempo: 65 minuti + il tempo di raffreddamento.

In una terrina setaccia la farina con il lievito, aggiungi i tuorli sbattuti, lo zucchero, il burro sciolto a bagnomaria, un bicchiere di latte tiepido e gli albumi montati a neve. Trasferisci in uno stampo per dolci a ciambella imburrato e infarinato e cuoci per 45 minuti nel forno preriscaldato a 180°. Terminata la cottura, lascia per 10 minuti nel forno spento, sforma, poi fai raffreddare a temperatura ambiente e cospargi di zucchero a velo.

Tortine con noci e cacao

(di Angelika e Matteo)

Ingredienti per 6 persone: 3 uova, 2 vasetti di yogurt bianco da 125 ml, 2 vasetti da yogurt di zucchero, 2 vasetti di farina, 2 vasetti di noci macinate, un vasetto di olio extravergine, un cucchiaio di cacao in polvere, una bustina di lievito per dolci, sale. *Tempo: 40 minuti.*
Nel mixer, sbatti le uova intere con lo zucchero fino a ottenere una spuma. Aggiungi prima lo yogurt (recuperandone i vasetti per misurare gli altri ingredienti) e l'olio e poi, sempre mescolando, la farina, le noci macinate finemente, il cacao e il lievito setacciati e un pizzico di sale. Versa il composto in 6 stampini da torta ben imburrati e cosparsi di farina. Cuoci le tortine in forno preriscaldato a 160° per circa 30 minuti. Puoi servirle accompagnate da panna montata o coperte con una glassa di cioccolata.

Torta alle mandorle

(di Annalisa)

Ingredienti per 7 persone: 4 uova, 100 g di zucchero, una fialetta di essenza di mandorle amare, 200 g di farina, 200 g di mandorle tritate, 3 cucchiai di yogurt bianco, una bustina di lievito vanigliato in polvere. *Tempo: 55 minuti.*
Monta gli albumi a neve ferma. Lavora i tuorli con lo zucchero, aggiungi metà della farina, metà delle mandorle e incorpora metà degli albumi. Aggiungi il resto del-

la farina e lo yogurt e lavora il composto ancora per un po'. Incorpora il lievito setacciato, l'essenza e le mandorle tritate e alla fine gli albumi restanti, mescolando molto delicatamente. Versa in una teglia foderata di carta oleata e metti per 35 minuti nel forno preriscaldato a 200°.

Salame di cioccolato
(di Davide)

Ingredienti per 4 persone: 200 g di biscotti secchi, 120 g di burro, 80 g di cacao amaro in polvere setacciato, 80 g di zucchero, 2 uova, un bicchierino di rum. Tempo: 20 minuti + il tempo di riposo.

Sbriciola i biscotti con le mani e riuniscili in una ciotola. Lavora il burro molto morbido con lo zucchero fino a ottenere una crema gonfia e spumosa. Unisci a questa crema un uovo, poi un cucchiaio di cacao, quindi l'altro uovo e un altro cucchiaio di cacao, infine il rum e il resto del cacao, sempre mescolando. Incorpora i biscotti, lavora il composto fino a renderlo omogeneo e trasferiscilo su un pezzo di carta da forno. Con le mani dagli la forma di un salame, avvolgilo nella carta e fallo riposare in frigorifero per almeno 2 ore. Se piace, puoi unire all'impasto scorze di arancia candite tagliate a dadini, oppure nocciole tostate, pistacchi o mandorle frantumati. Puoi anche sostituire il rum con il succo di arancia e i biscotti con amaretti.

Tiramisù

Anto, ci siamo scambiate moltissime cose in questi anni, emozioni, sorrisi, pianti e anche maglioni, ma mai e poi mai avrei pensato di regalarti una MIA ricetta. In realtà, tu lo sai, sono solo un tramite... come tante altre cose anche questa "dolcezza" arriva dalla nostra mamma. Con amore

Cri

Cristina è la mia unica, fantastica sorella. Lei fa un lavoro "serio", la psicoterapeuta, ed è il mio esatto contrario in tutti i sensi. Magra, inappetente, detesta la cucina e il cucinare. Mangia solo per sopravvivere la pasta in bianco, al massimo versandoci sopra la passata di pomodoro. L'unica specialità che ha imparato da mia mamma è il tiramisù, che propina a tutti. Eppure, per ironia della sorte, è il miglior tiramisù che io abbia mai mangiato.

Tempo: 20 minuti + il tempo di raffreddamento Numero di persone: 4-6 Ingredienti e quantità: 250 g di mascarpone, 2 uova, 3 cucchiai di zucchero, caffè espresso per 6 persone, biscotti Pavesini, una tavoletta di cioccolato al latte, cacao in polvere zuccherato.

Realizzazione: Lavora molto bene lo zucchero e i tuorli, aggiungi il mascarpone e gli albumi montati a neve. Quando il tutto è amalgamato, mettine la metà in una ciotola insieme al cioccolato frantumato in pezzetti; all'altra metà unisci invece il cacao per scurirla. In una teglia stendi uno strato di crema con il cacao, poi uno strato di Pavesini inzuppati velocemente nel caffè, poi uno strato di crema con il cioccolato a pezzi, un nuovo strato di pavesini inzuppati e così via fino a esaurimento degli ingredienti. Spolvera sull'ultimo strato abbondante cacao setacciato attraverso un colino. Trasferisci in frigorifero a rassodare e servi abbastanza freddo.

Dolce di pane

(di Maria e Giulio)

Ingredienti per 4-6 persone: un filone di pane leggermente raffermo, 3 uova, 2-3 bicchieri di latte, un cucchiaio di zucchero, 50 g di burro, 1 kg di mele mature,
2 cucchiai di uva passa, 2-3 cucchiai di pinoli. *Tempo:*
60 minuti.

Taglia il pane a fette di mezzo centimetro. Sbatti le
uova in una scodella con il latte e lo zucchero, immer-
gici le fette di pane e sistemale in una pirofila co-
prendone il fondo. Sbuccia le mele, tagliale a fettine
sottili e stendile sopra lo strato di pane insieme al-
l'uva passa, ai pinoli e a qualche fiocco di burro. Prosegui alternando uno strato di pane e uno di mele. Termina con uno strato di pane, spennellalo con l'uovo sbattuto e completa con fiocchi di burro. Metti in forno a
180° per 35-40 minuti.

 # Tronchetto di Natale

(di zia Mariangela)

Ingredienti per 10 persone: 4 uova, 250 g di zucchero,
500 ml di panna fresca, 250 g di torrone di mandorle, 150
g di cioccolato fondente. *Tempo:* 20 minuti + il riposo.

Sbatti molto bene i tuorli con lo zucchero, aggiungi la
panna dopo averla montata e gli albumi montati a neve.
Fodera 2 stampi da plum cake con carta da forno. Sminuzza finemente il torrone e il cioccolato e versane uno

strato sul fondo degli stampi. Stendi sopra uno strato di composto, poi un nuovo strato di torrone e cioccolato e così via fino al riempimento degli stampi (l'ultimo strato dev'essere di torrone e cioccolato). Copri con carta da forno e metti in freezer fino al consumo.

Torta morbidissima di noci

(di Marina)

Ingredienti per 6 persone: 150 g di noci sgusciate, 150 g di cioccolato fondente, 150 g di zucchero, 4 uova. Tempo: 45 minuti.

Trita insieme nel mixer le noci e il cioccolato e versa il tutto in una terrina capiente, poi aggiungi lo zucchero. Separa i tuorli dagli albumi e uniscili al composto uno alla volta. Monta a neve gli albumi delle 4 uova e versali nella terrina, mescola delicatamente dal basso verso l'alto per amalgamarli e poi metti il composto in una teglia ben imburrata e infarinata. Inforna a 180° per 20 minuti, poi controlla la cottura infilando nella torta uno stuzzicadenti: se ne esce bagnato e il composto è ancora molle tienila in forno ancora per 10 minuti e poi ricontrolla. Quando lo stuzzicadenti è solo leggermente umido, la torta è pronta! Lasciala riposare pochi minuti nel forno spento; puoi servirla sia tiepida sia a temperatura ambiente. Se vuoi puoi usare le mandorle al posto delle noci.

Torta al limone

(di Simone e Mita)

Ingredienti per 6 persone: 300 g di farina, 3 uova, 300 g di zucchero, 100 g di burro, 2-3 limoni, un bicchiere di latte, una bustina di lievito in polvere per dolci, zucchero a velo. *Tempo:* 45 minuti + il tempo di raffreddamento.

In una terrina setaccia la farina con il lievito, aggiungi i tuorli sbattuti, lo zucchero, il burro sciolto a bagnomaria e intiepidito, il latte, il succo dei limoni e, alla fine, gli albumi montati a neve. Versa il composto in uno stampo antiaderente e cuoci per 30 minuti circa in forno preriscaldato a 130°. Lascia raffreddare, sforma su un piatto e cospargi di zucchero a velo.

 # Muffin di banana e Nutella

(di Marina)

Ingredienti per 8 persone: 250 g di farina, 150 g di zucchero, 5 banane sbucciate, 100 g di burro, un uovo, un tuorlo, mezza bustina di lievito vanigliato in polvere, 200 g di Nutella. *Tempo:* 55 minuti.

Sciogli il burro su fiamma dolce, versalo nel mixer con le banane tagliate, lo zucchero, l'uovo e il tuorlo e frulla. Aggiungi la farina setacciata con il lievito e frulla ancora per qualche secondo. Suddividi il composto in 16 stampini da muffin rivestiti con pirottini di carta e cuocili in forno preriscaldato a 180° per 35 minuti. Lasciali raffreddare e spalma la superficie con la Nutella.

Dolci e... dolcezze

La pappa di Oliver

Ho conosciuto Antonella grazie a Oliver, perciò mi è sembrato carino scegliere come ricetta speciale una pappa casalinga adatta a un Labrador biondo...

Annalisa

Annalisa è la veterinaria di Oliver, il mio amatissimo labrador biondo, il cane adorato che vive con me fin da quando era un cucciolo di 40 giorni. Annalisa è giovane, brava, dinamica, all'occorrenza viene anche a casa a fare qualche vaccinazione, ed è capitato di chiamarla quando Oli stava poco bene. È specialista in anestesia e in trattamento del dolore, e questo la dice lunga sul suo amore per i nostri migliori amici e compagni di viaggio e di vita, spesso purtroppo troppo breve rispetto alla nostra. Da lei, ecco una "pappa" da regalare alla "padrona".

Tempo di preparazione: 10-15 minuti. Ingredienti e quantità per un cane adulto e cittadino da 10 kg: 100 g di pollo (con la pelle), 100 g di riso, 50 g di fegatini di pollo, 50 g di piselli in scatola, 50 g di zucchine e zucca gialla cotte, un cucchiaino di olio di oliva e uno di olio di girasole.

Realizzazione: Cuoci il riso in acqua senza sale, sciacqualo dall'acqua di cottura, aggiungi la carne e i fegatini (che avrai prima scottato in acqua) e le verdure. Lascia raffreddare e aggiungi gli oli. Per una versione più leggera, sostituisci la carne con 100 gr di nasello. Se invece il tuo cane ha questa stessa taglia ma è moderatamente attivo, puoi aggiungere 100 g di ricotta.

Dietro
le quinte

Per fare questo libro è stato necessario ideare, progettare, coordinare, telefonare, negoziare, sollecitare, scrivere, cucinare, allestire, fotografare, truccare, pettinare, fare, disfare, rifare, ritoccare, disegnare, impaginare, correggere, ricorreggere, ancora correggere, controllare, approvare, e infine... Mandare in stampa! Ecco la fantastica squadra che ha permesso tutto questo...

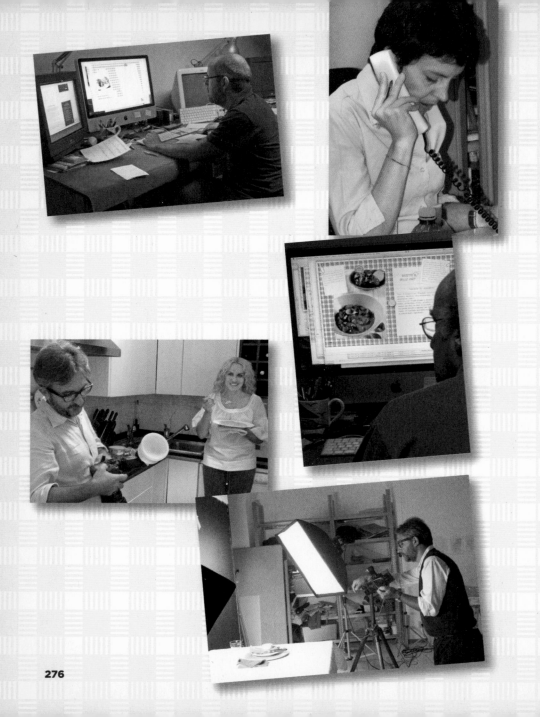

Arrivederci alla prossima
avventura...

Ringraziamenti

Grazie agli amici che hanno partecipato a questa impresa inviandomi le loro ricette. La vera amicizia nasce dalla convivialità della tavola e fare questo libro è come aver organizzato un grande banchetto.

A Luca, che per questo libro ha perso dieci anni di vita (scherzo!), e a Rossella, per la sua pazienza e la sua velocità di pensiero.

Al folto gruppo di professionisti del team Rizzoli che ha lavorato a questo libro (li vedete tutti da pagina 273), perché mi ha permesso di mettere insieme così tanti pezzi della mia vita rendendo ancora più emozionante il ricordo!

Indice

Pane, panini e torte salate

Cassoncini di piada farciti 47
Focaccia sfiziosa 26
Fragranti focaccette 42
Minicake con olive, feta e timo 48
Pane e salsiva 188
Piada con squacquerone 218
Pizzette con pasta di acciughe 44
Quiche speck e zucchine 208
Sfogliata taleggio e timo 40
Strudel di radicchio e fonduta
  di Asiago......................224
Toast farciti e non 222
Torta al "testo" 190
Torta salata con verza
  e formaggio....................205
Tortino di spinaci 187
Torta prosciutto e mozzarella 208

Pasta fresca

Cavatelli con acciughe
  e mozzarella...................130
Orecchiette del re 79
Lasagne agli asparagi 90
Lasagne con funghi e speck 98
Passatelli golosi 118
Ravioli di magro con salvia
  e mandorle......................62
Ravioli di patate con branzino
  e bottarga......................71
Tagliolini al basilico con gamberi
  e pomodorini...................117
Tagliolini di pasta gialla con
  tartufo nero...................126
Tortelli ricchi con ragù
  di coniglio.....................123

Tortellini al salto 31
Trofie con ragù di cernia, vongole
  e pomodorini...................125

Pasta secca

Bavette alle vongole 82
Bavette con melanzana al forno 130
Cannelloni di porro, formaggi
  e tartufo nero.................104
Carbonara di pesce spada
  affumicato......................74
Carbonara di zucchine romanesche ...90
Conchiglie al forno 108
Farfalle gialle con piselli 115
Fusilli freddi al limone
  e pecorino siciliano...........124
Linguine con acciughe, briciole
  e profumo di limone............86
Ricciarelle tortellinate 65
Rigatoni salsiccia e zafferano 72
Pasta al ragù di polpo 63
Pasta allo zummino 129
Pasta al pomodoro gratinata 72
Pasta con crema di formaggi
  alle erbe......................94
Pasta con crema di peperoni 75
Penne integrali con zucca
  e pomodorini....................83
Peperoni ripieni di spaghetti 68
Scampi e pasta 87
Spaghetti al tonno 105
Spaghetti ai gamberi e pancetta ...109
Spaghetti ai ricci di mare 120
Spaghetti basic 127
Spaghetti con alici e pomodorini ..102
Spaghetti Festival di Sanremo 76

Spaghetti vongole e bottarga 126
Tagliatelle con scorze di arancia,
     scampi e ricotta................64
Tagliolini al salmone affumicato
     con profumo di arancia.........131
Tortiglioni con patate 92

Riso e altri cereali
Delizia di riso 102
Farrotto con carciofi 94
Insalata di mare al finocchietto
     selvatico e limone.............74
Insalata di riso, senape e wurstel.196
Orzetto alla trentina 73
Paella di quinoa 184
Riso alla zucca e amaretti 108
Riso alle verdure 124
Riso con le noci 103
Riso giallo 112
Risotto agli agrumi 100
Risotto ai porcini con fiori
     di zucca e burrata............107
Risotto con asparagi e pesche 64
Risotto con asparagi e taleggio 66
Risotto del borgo 95
"Sol-riso" 89

Gnocchi
Gli gnocchi di mia mamma 80
Gnocchi al pesto 110
Gnocchi di castagne in fonduta 116
Gnocchi di mare con pomodoro
     e menta.....................121
Gnocchi di ricotta con funghi
     e prezzemolo..................98
Gnocchi verdi di miglio 116

Zuppe, minestre, vellutate
Crema di finocchi alla paprica 114
Crema di patate e carote 99
Crema di zucca tartufata 69
Crema fredda di zucchine
     e yogurt......................82
Farro in crema di zucca e patate ...91
Minestra di razza e borragine 114
Minestra lampo di couscous 104
Passatino di ceci con crostone
     di pane nero..................59
Vellutata di ceci con code
     di gambero....................78
Vellutata di piselli 120
Zuppa di broccoli e lenticchie 78
Zuppa di scarola e riso 86
Zuppa di vino, speck e patate 110

Vitello e manzo
Bocconcini di vitello con patate
     rosse.......................138
Bruscitt con polenta 202
Carne cruda alla piemontese 23
Fagottini di vitello ripieni 164
Filetto in crosta 168
Foglie rosse 170
Gulasch di manzo 166
Involtini di bresaola e kren 50
Manzo all'orientale 137
Patè di Natale 36
Pinzimonio di manzo 31
Polpette in umido 150
Polpettine con pomodorini
     e olive......................154
Polpettine di carne e ricotta 158
Rotolo di filetto al cognac 180

Salame di manzo, formaggio Montasio
    e rucola......................50
Spezzatino di vitello 148
Tartara di manzo alla Cesare 162
Tasca di vitello ripiena 137
Teglia di carne e patate 186
Vitello all'arancia 140
Vitello tonnato 152

Maiale
Arrosto con patate 165
Filetto di maiale "di stagione" ...134
Filetto di maialino con balsamico
    e lamponi...................169
Involtini di lonza con rucola
    e caprino...................149
Maiale al miele con purè
    di patate....................36
Maiale caramellato ai fichi 180
Mus furlan (o Cao) 190
Scrigno di prugne e pancetta 58

Pollame
Crostini con pâté di fegatini 22
Insalata bis di carne 224
Involtini di pollo alla salvia 144
Petto di pollo esotico 162
Pollo senza grassi 178
Striscioline di pollo aromatiche
    con insalata.................174
Stufato di pollo allo zafferano ...134
Tacchino all'aceto 174
Tacchino alle mele 142

Coniglio e altre carni
Coniglio in casseruola 210

Coniglio in salmì 000
Costolette di agnello
    al vino rosso.................145
Petto di anatra con ciliegie 176
Quaglie al cognac 175
Spezzato di coniglio 181

Pesce
Alici con indivia 143
Alici marinate con patate
    e prezzemolo....................22
Arrosto di pescatrice alla pancetta
    affumicata....................140
Baccalà alle erbe aromatiche 144
Baccalà all'olio con cipollotto
    e zucca......................168
Braciola di pesce spada con melanzane
    all'origano..................154
Carpaccio di salmone
    e pomodori verdi................29
Cernia steccata al limone
    con patatee spumante...........161
Crudo di zucchine, gamberi rossi
    e melone......................28
Filetti di cernia gli agrumi 141
Filetti di merluzzo alla
    senape.......................159
Filetti di merluzzo con prosecco
    e tartufo nero................135
Filetti di orata al cartoccio 176
Filetti di triglia ai pistacchi
    di Bronte....................148
Giardiniera di verdure con baccalà
    al vapore.....................46
Insalata di aringa................37
Involtini di coda di rospo

e prosciutto.....................177

Pesce salato 156

Salmone alle erbe con crema
   di lattuga.....................155

Sarde croccanti con polenta 142

Semplicemente branzino 175

Sfiziosa gallinella di mare 150

Spuma di tonno 48

Tartare di branzino con olive verdi
   e zenzero......................53

Tonno e uova al verde 146

Tranci di rombo arrostiti al pepe
   con spinacini e pinoli.........171

Molluschi e crostacei

Gamberi in pancetta con verdurine
   padellate.....................158

Insalata di seppie e spinaci 56

Insalata di seppie in agrodolce 35

Insalatina estiva di gamberi 54

"Royal" calda con ricotta
   e gamberone rosso................31

Scampi al sale 164

Seppie ripiene 151

Formaggio

Ceci, scamorza e sedano 204

Cestino di Patty 24

Frico con patate e cipolle 184

Panna cotta al parmigiano
   con insalatina di carciofi.......33

Ricotta aromatica croccante
   con mele caramellate............55

Ricottine al forno
   con pomodorini.................193

"Royal" calda con ricotta

e gamberone rosso................31

Sformatino di formaggio 32

Uova

Crêpe con prosciutto cotto
   e formaggio.....................30

Fondina di cardi, uovo
   e bagna cauda...................58

Frittata al forno con patate
   e verdure......................186

Frittata di stoccafisso
   e carciofi....................204

Rondelle di crêpe alle erbe 85

Soufflé al formaggio 170

Timballo di uova piccanti 192

Tortini di uova e patate 191

Verdure

Carpaccio di zucchine
   e parmigiano....................56

Cipolla cotta al sale 199

Crema di melanzane 49

Fagottini di caprino e melanzane ...49

Fiori di zucca con ricotta 192

Fiori di zucca filanti 51

Fiori di zucca ripieni di zucchini
   con salsa al tartufo nero.......200

Fondina di cardi, uovo
   e bagna cauda...................58

Foglie di salvia pastellate 25

Frico con patate e cipolle 184

Fritto vegetariano in pastella
   di ceci.......................206

Insalata croccante di indivia
   belga.........................209

Insalata d'autunno 43

Involtini di belga gratinati 25
Involtini di melanzane 197
Involtini freschi di peperoni 38
Melanzane alla ligure 225
Parmigiana di bietola 216
Patate al cumino 216
Peperonata piemontese 196
Peperoni all'aceto 220
Peperoni ripieni 36
Pizzette di melanzane 200
Polpettone di cavolfiore 194
Profiterole di broccoli 41
Saka saka 217
Sancrau 221
Scarola riccia ripiena e confettura
   di agrumi.....................212
Scrigno di patate 213
Sformatini di fave 220
Teglia di carne e patate 186
Timballino di melanzana
   con mozzarella di bufala........54
Timballo di verdure 40
Timballino di zucchine con "brunoise"
   di verdure....................57
Torta di polenta e carciofi 201
Tortini di uova e patate 191
Wok di verdure 185
Zucchine alla besciamella 212

Legumi
Ceci, scamorza e sedano 204
Crocchette di lenticchie rosse 24
Hummus di ceci 28

Salse
Maionese 38

Salsa verde 214
Sughetto di pomodoro 97

Biscotti e dolcetti
Biscotti alla farina di cocco 256
Biscottini dietetici con gocce
   di cioccolato.................257
Dolcetti di avena 246
Mandorle caramellate 255
Muffin di banana e Nutella 268
Pane e cioccolata 243
Salame di cioccolato 263
Spumiglie 233
Tartellette con frutti di bosco ...256
Tegliette di frutta 248
Tortine al cioccolato 238
Tortine con noci e cacao 262
Triangoli di ricotta
   e marmellata.................. 234

Torte
Ciambellone della nonna 261
Crostata ricotta e cacao 242
Crostata sprint di marmellata 240
Dolce di Amalfi 233
Dolce di pane 266
Dolce di polenta 234
Pandispagna farcito con panna
   e frutta.....................228
Plum cake 258
Torta alle mandorle 262
Torta al limone 268
Torta caprese 245
Torta cocco e pere 260
Torta di mandorle 236
Torta di mele 252

Torta di nocciola con Nutella 253
Torta facile di carote 230
Torta morbidissima di noci 267
Tarte tatin alle mele 247

Dolci al cucchiaio
Budino di nonna Lina 238
Coppa croccante con yogurt
   e frutta......................242
Crema all'arancia, rum e cioccolato
   fondente......................251
Crema di cioccolato
   al peperoncino.................228
Crème caramel 241
Crème brûlèè 260
Gelato mantecato 257
Mattonella al caffè 229

Mousse al cioccolato amaro 246
Mousse al cioccolato bianco
   con le fragole..................235
Panna cotta al cocco con carpaccio
   di ananas......................232
Quasi un tiramisù 250
Tiramisù 264
Tronchetto di cacao 266

Frutta
Albicocche alla piastra 239
Anguria per bambini 252
Carpaccio di melone 51
Gelato, mele e pepe 250

...dulcis in fundo
La pappa di Oliver 270

Finito di stampare nel mese di novembre 2010
presso   *Grafica Veneta, Trebaseleghe (Padova)*

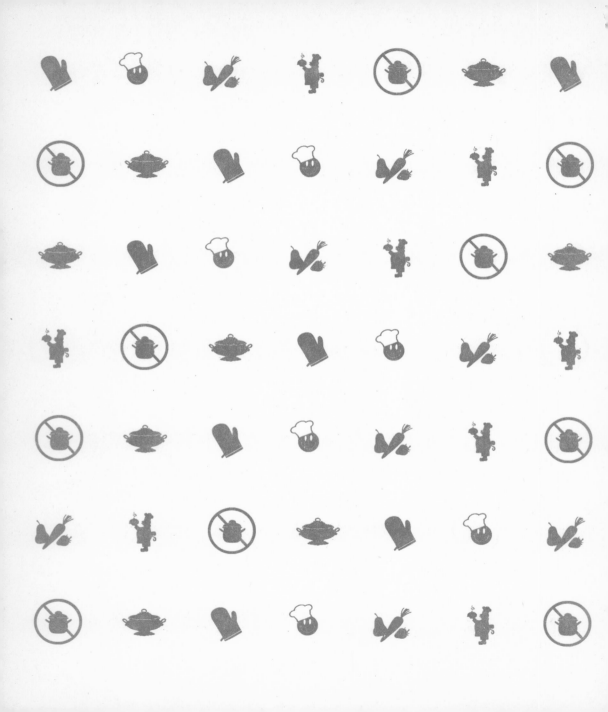